聖書をわかれば英語はもっとわかる

西森マリー

講談社

まえがき

「目には目を、歯には歯を」、「豚に真珠」、「羊の皮を着た狼」……日本語でもすっかりおなじみのこれらの表現は、すべて聖書に由来します。

欧米では、つい20世紀の初めまで、ほとんどの人々が日曜には教会に行き、寝る前にはお祈りを捧げるというキリスト教的なライフスタイルを送っていました。

近代国家の代表格とも言えるアメリカでも、20世紀半ばまでごく普通の学校でも聖書を教えていました。

ですから、英語には聖書が出典となっている格言や比喩表現が非常に多く、聖書の引用はニュースレポートや新聞記事、映画のセリフ、英文学、ロックやポップスの歌詞にも登場します。

聖書が元ネタの言い回しは英語圏の人々にとって文字通り常識ですが、外国語として英語を勉強している非キリスト教徒にとっては、聖書を知らないがために行間を読めず真意を理解できない、ということもよくあります。

本書は、英語に興味がある方、英文学やハリウッド映画がお好きな方が、英会話や英語の本、映画のセリフをより深く楽しめるようになるために必要な聖書の表現をご紹介したものです。

シェイクスピアもレディ・ガガも引用している聖書から、最も使用頻度が高い言葉をご紹介したこの本を読んで、みなさんもネイティブと対等に会話を楽しみ、英文学や映画、ヒットソングを鑑賞できるようになってくださいね！

なお、本書で引用している聖書の英文は、特に注意書きがない場合はキング・ジェイムズ版（King James Version, KJV）の英訳を使用しています。英訳版の聖書は20種類以上存在しますが、イングランド国王ジェイムズ１世の命により英訳され、１６１１年に完成したKing James Bible（別名the Authorized Version「欽定訳聖書」）の格調高い文語訳は今でも特にインテリ層に好まれています。古い英語なので部分的にわかりにくいかもしれませんが、日本語訳を頼りに読んでみてください。その他、部分的にニュー・インターナショナル版（New International Version, NIV）も使用しています。また、対応する日本語訳はすべて筆者によるものです。

２０１３年１月

西森マリー

【目次】

ジューダス　*Judas*　227
レット・ゼア・ビー・ロック　*Let There Be Rock*　228
船が入ってくるとき　*When the Ship Comes In*　230
時代は変わる　*The Times They Are a-Changin'*　231
ザ・ゴースト・オブ・トム・ジョード　*The Ghost of Tom Joad*　232
コートはカラフル　*Coat of Many Colors*　233
アイ・ウィッシュ・ユー・ウェル　*I Wish You Well*　235
ブレッサド　*Blessed*　240
明日に架ける橋　*Bridge Over Troubled Water*　242
地の塩　*Salt of the Earth*　244
グロリア（『オクトーバー』）　*Gloria/October*　246
40（『ウォー』）　*40/War*　247
イン・ゴッズ・カントリー（『ジョシュア・トゥリー』）　*In God's Country/The Joshua Tree*　248
ラヴ・レスキュー・ミー（『ラトル・アンド・ハム』）　*Love Rescue Me/Rattle and Hum*　249
ホエン・ラヴ・カムズ・トゥ・タウン（『ラトル・アンド・ハム』）　*When Love Comes to Town/Rattle and Hum*　250
ザ・ワンダラー（『ズーロッパ』）　*The Wanderer/Zooropa*　251
アンノウン・コーラー（『ノー・ライン・オン・ザ・ホライゾン』）　*Unknown Caller/No Line on the Horizon*　253
あとがき　255

序　章

聖書はこんな物語

聖書（The Bible, The Holy Bible）は何世代にもわたり、全世界で読みつがれてきている大ベストセラーといえます。

聖書は旧約聖書（The Old Testament）と新約聖書（The New Testament）の2つに分かれ、旧約聖書はユダヤ教とキリスト教の聖典で、新約聖書はキリスト教の聖典です。また、イスラム教においても、旧約聖書の一部が啓典とされています。

ちなみにtestamentは「神と人との契約」という意味で、「約」が表すのは契約の「約」、つまり神様との新旧の約束を記した書物という意味。ですので、「新約」「旧約」という言葉はキリスト教から見たネーミングだという点に気をつけてくださいね。ユダヤ教では単に「聖書」と呼んでいます。

では、この2つの書物にはそれぞれどのようなことが書かれているのでしょうか。まずは旧約聖書のほうから見てみましょう。

旧約聖書の世界

旧約聖書は１巻目の創世記から始まり、全39巻で構成されています。神と人との関わり、また古代イスラエル民族の歴史について主に記されています。歴史の部分は、史実として実際に起きたことについて、紀元前３３１年までのことが記録されています。最初は口伝を通して内容が伝えられていましたが、まず羊皮紙の巻物にヘブライ語で書かれた聖書が完成し、紀元前２５０年頃にはギリシア語に翻訳されたと言われています。

神様が世界を創造し、人間を造って楽園に住まわせるところから始まる語は、長く壮大です。最初の人類であるアダムとイヴがエデンの園で何不自由なく暮らしていたところ、神に禁じられていた知恵の実を蛇にそそのかされて食べてしまい、２人は楽園を追放されます。そして２人の息子であるカインとアベルの話から、時代を下って全世界が大洪水に飲まれてしまうノアの箱舟の話くらいまでは、なんとなく知っている人も多いでしょう。その後人類は地上に繁栄しますが、神への忠誠心を忘れるたびに天罰が下り、神に認められた信仰心の篤い者が救われていきます。

やがてイスラエル民族はエジプトに移住しますが、エジプト王に奴隷として使われる時代が訪れます。そこで現れたのが預言者モーゼで、民族を自由へ導き、神から「十戒」といわれる10の掟を記した石版を授けられ、神と人との契約が交わされます。そして困難な道程の果てに、「約束の地」であるカナンにイスラエル民族はたどりつき、先住民を征服してここに定住します。

預言者サムエルによってまとめられていたイスラエル民族は、その後、初代国王サウルをいただきイスラエル統一王国となります。が、ペリシテ人など近隣の民族との諍いは絶えません。王国の礎が築かれるのは2代目のダビデ王のときで、３代目ソロモン王のもとで黄金時代が訪れます。首都はエルサレムに定められました。

しかし、ソロモン王の死後、イスラエル統一王国は南のイスラエル王国と北のユダ王国に分裂してしまいます。２国間の対立は60年ほどに及び、やがて和平を結びます。イスラエル王国は優れた預言者を輩出しながらも、約２００年後にアッシリア帝国に滅ぼされてしまいます。一方、ユダ王国ではダビデとソロモンの血筋を引く者が王位を継ぎますが、イスラエル王国滅亡後１４０年ほどでエジプトの属国となり、また、新バビロニア王国との戦いに敗れた後はバビロン捕囚として民族は連行されてしまいます。２回目のバビロン捕囚後、新バビロニアがペルシア帝国によって滅ぼされるとともに、民族はようやく解放され、エルサレムに帰ることを許されます。

旧約聖書で描かれているのはだいたいここまでの歴史で、こういった内容のほかに、預言や詩歌、お手本となるような人物の逸話も収められています。

以下の一覧は旧約聖書39巻のタイトルを並べたもので、本書で取り上げた部分は傍線を引きました。

【旧約聖書の構成】

創世記	Genesis
出エジプト記	Exodus
レビ記	Leviticus
民数記	Numbers
申命記	Deuteronomy
ヨシュア記	Joshua
士師記	Judges
ルツ記	Ruth
サムエル記上	1 Samuel
サムエル記下	2 Samuel
列王紀上	1 Kings
列王紀下	2 Kings
歴代志上	1 Chronicles
歴代志下	2 Chronicles
エズラ記	Ezra
ネヘミヤ記	Nehemiah
エステル記	Esther
ヨブ記	Job
詩編	Psalms
箴言	Proverbs
コヘレトの言葉	Ecclesiastes
雅歌	Song of Solomon
イザヤ書	Isaiah
エレミヤ書	Jeremiah
哀歌	Lamentations
エゼキエル書	Ezekiel
ダニエル書	Daniel
ホセア書	Hosea
ヨエル書	Joel
アモス書	Amos
オバデヤ書	Obadiah
ヨナ書	Jonah
ミカ書	Micah

ナホム書	Nahum	ハガイ書	Haggai
ハバクク書	Habakkuk	ゼカリヤ書	Zechariah
ゼファニヤ書	Zephaniah	マラキ書	Malachi

新約聖書の世界

では、新約聖書には何が書かれているのでしょうか。こちらは27巻からなり、イエス・キリストの生涯と復活、キリストが遺した言葉、初代教会の歴史、そして初代教会の指導者たちによって書かれた書簡から構成されています。主な舞台となるのは紀元1世紀のエルサレムを中心とする世界です。

キリストが生きていたのは紀元4年～30年頃ですが、十字架に磔にされて処刑されてから復活したことを受けて、弟子たちはキリストこそが救世主だと信じ、ここでユダヤ教から分かれてキリスト教が誕生します。弟子たちは使徒となってキリストの言葉と教えを各地へ伝道に赴きます。

ここで注意すべきなのは、新約聖書はイエス・キリストが書いたものではなく、弟子たちがキリストから聞いた言葉を記したものだという点です。キリストが処刑されたのは紀元30年頃ですが、最初にまとめられた巻は「テサロニケの信徒への手紙　1、2」で、死後20年たった紀元50~52年頃とされています。それから他の巻が次々と書かれ、紀元150年頃には「ペトロの手紙2」がまとめられ、新約聖書の中身が完成しました。ちなみにいくつかの巻に使われている「福音書」の「福音」は、「キリストの説いた教え、よい知らせ」という意味です。

以下の一覧は新約聖書27巻のタイトルを並べたもので、本書で取り上げた部分には傍線を引きました。

【新約聖書の構成】

マタイによる福音書	Matthew
マルコによる福音書	Mark
ルカによる福音書	Luke
ヨハネによる福音書	John
使徒言行録	The Acts
ローマの信徒への手紙	To the Romans
コリントの信徒への手紙１	1 Corinthians
コリントの信徒への手紙２	2 Corinthians
ガラテヤの信徒への手紙	Galatians
エフェソの信徒への手紙	Ephesians
フィリピの信徒への手紙	Philippians
コロサイの信徒への手紙	Colossians
テサロニケの信徒への手紙１	1 Thessalonians
テサロニケの信徒への手紙２	2 Thessalonians
テモテへの手紙１	1 Timothy
テモテへの手紙２	2 Timothy
テトスへの手紙	Titus
フィレモンへの手紙	Philemon

ヘブライ人への手紙　To the Hebrews

ヤコブの手紙　Epistle of James

ペトロの手紙１　1 Peter

ペトロの手紙２　2 Peter

ヨハネの手紙１　1 John

ヨハネの手紙２　2 John

ヨハネの手紙３　3 John

ユダの手紙　Jude

ヨハネの黙示録　Revelation

第 1 章

聖書の言葉は、日常会話でこんなに生きている！

～何気なく使っている表現の由来

聖書の引用は日常会話で実に頻繁に登場します。

現代では、ネイティブ・スピーカーの中にも聖書が出典だということを知らずに使っている人も多いのですが、由来を知っていると味わい深く感じられる表現も少なくありません。表現の意味をとらえつつ、聖書の逸話も楽しんでくださいね。

「禁断の果実」は具体的に何を指す？　*forbidden fruit*

日本語にも定着しているこのフレーズは、創世記の記述がもとになっています。

神は天地、動植物を創造した後、人を（アダム）創造し、エデンの園に人を置き、食用としてふさわしい実をつけるあらゆる木々を地から生えさせ、人にこう言います。

> どの木から（実を）取って食べてもいいが、善悪を知る木から取って食べてはならない。そういうことをすると必ず死ぬだろう。
> Of every tree of the garden thou mayest freely eat: But of the tree of the knowledge of good and evil, thou shalt not eat of it: for in the day that thou eatest thereof thou shalt surely die.

その後、神は人を深く眠らせ、あばら骨の１つを取って、その骨から女（イヴ）を造ります。でも、女は蛇に「善悪を知る木から取って食べても死ぬことはなく、神のように善悪を知る者になれる」とそそのかされて、神が食べることを禁じた果実を食べ、近くにいた男にもそれを与えたので、神の怒りを買いエデンの園から追放されます。

聖書には、「禁断の果実」（forbidden fruit）というフレーズは出てこないのですが、神が「食べるな」と言った果実、つまり食べることを禁じた果実なのでそう呼ばれるようになりました。
このフレーズは、意味も使い方も日本語の「禁断の果実」とまったく同じです。

使い方

Lots of teens are lured by alcohol because it's the **forbidden fruit**.
多くのティーンエイジャーたちがアルコールに誘惑されてしまうのは、それが禁断の果実だからだ。

ちなみに、英語圏では善悪を知る木はリンゴの木だと思われています。
のどぼとけのことを英語でAdam's apple（アダムのリンゴ）というのは、アダム（神が最初に造った人間）がこの禁断の果実であるリンゴを食べて飲み込もうとするときに、のどにつまった、と信じられているからなんですよね。

アダムは「額に汗して」働いた最初の人 *by the sweat of one's brow*

日本語でも「額に汗して」は、「正直に働いて」という意味の比喩として使われていますよね。実は、このフレーズの元になっている表現は創世記3章に出てきます。

禁断の果実を食べてしまったアダムとイヴをエデンの園から追放した神が、アダムにこう言います。

> おまえは妻の言葉を聞き、食べるなと私が命じた木から取って食べたので、おまえのせいで地は呪われ、おまえは一生苦しみながら地から食物を取る。地はおまえにいばらとあざみを与え、おまえは野の草を食べる。おまえは額に汗してパンを食べ、ついには地に帰る。

「おまえは額に汗してパンを食べ」は、キング・ジェームズ版ではIn the sweat of thy face shalt thou eat breadですが、ニュー・インターナショナル版ではBy the sweat of your brow you will eat your foodとなっています。

エデンの園では、食用にふさわしい果実がなるあらゆる木を神が生やしてくれたので、楽に暮らせたアダム。その彼が、額に汗をかくほどの重労働をしてやっと食べ物にありつける、というニュアンスですよね。

この記述から派生した「額に汗して」(by the sweat of one's brow)が、「肉体労働をして、しっかり働いて、まじめに働いて」という意味で使われるようになったのです。

使い方

I don't want a president who's never made a living **by the sweat of his brow**.

額に汗して生計を立てたことのない人間は大統領として望ましくないですね。

すべての…の母　*mother of all ...*

「究極の、とてつもない、最高の」という意味で日常会話に頻繁に出てくるmother of all ... も、もとを正せば聖書の一言なのです。

アダムとイヴがエデンの園から追放されるシーンに、このフレーズが登場します。

　アダムはその妻をイヴと名付けた。彼女がすべての生き物の母だからである。

And Adam called his wife's name Eve; because she was the mother of all living.

(Eveは、ヘブライ語の「ハウワ」が語源で、「命の源」という意味)

ここからmother of all ...が「大もとの、究極の、ものすごい」という意味で使われるようになりました。

使い方

The Exorcist is the **mother of all** horror movies.
『エクソシスト』は究極のホラー映画だ。

The town was hit by the **mother of all** snow storms.
この町はとんでもない吹雪に襲われた。

人ががっかりした様子を見せるとき　*one's face falls*

もともとは文字通り「うつむく、顔を伏せる」という意味のこの表現は、創世記の４章に出てきます。

最初の人アダムの妻になったイヴが長男カイン（Cain）と次男アベル（Abel）を産み、カインは土を耕す者になり、アベルは羊飼いになります。

ある日、カインが地の産物を主に供え、アベルが羊の初子の肥えた肉を供えると、主はアベルの供えものには好意的だったのに、カインの供え物を顧みませんでした。

この後の聖書の記述を見てみましょう。

カインは大いに怒り、顔を伏せた。

And Cain was very wroth, and his countenance fell.

countenanceとは「顔つき、顔色、表情」のこと。ニュー・インターナショナル版ではhis face was downcast、イングリッシュ・スタンダード版ではhis face fellと訳されていて、どれも「がっかりして顔が下を向く」というニュアンスです。

日本語の「肩を落とす」と同じで、one's face fallsは「失望したことをはっきりと態度で表す」、ということ。日常会話で頻繁に使われますが、こんな用語も聖書が語源だったなんて、オドロキですよね！

使い方

My face fell when I heard the news of his death.

彼が死んだと聞いて失望を隠せなかった。

兄弟の番人　*one's brother's keeper*

主に無視されたカインは、弟のアベルを野原に連れ出して殺してしまいます。
その後、主に「あなたの弟のアベルはどこにいるのか？」と聞かれ、カインはこう答えます。

知りません。私は弟の番人でしょうか？
I know not: Am I my brother's keeper?

この記述から、「…のことなど知ったことか！」というニュアンスでAm I ...'s keeper?/I'm not ...'s keeper.が使われるようになりました。

使い方

Father: Where's your Liz?
Son: I don't know. I'm not **my sister's keeper**.

父親：リズはどこにいるんだ？
息子：知らない。僕はアネキの番人じゃないから。

「カインの印」とは？ *mark of Cain*

「カインの印」（mark of Cain）は弟アベルを殺したカインに主がつけた印のことです。土の中からアベルの血の叫びを聞いた主は、カインに「もうおまえが土地を耕しても土地は実を結ばず、おまえは地上の放浪者となる」と告げます。

そして、カインが「私を見つける人は、皆私を殺そうとするでしょう」と我が身を心配すると、主は「カインを殺そうとする者は7倍の復讐を受ける」と答えます。

この後の記述を見てみましょう。

そして主は、カインを見つける者が誰も彼を殺すことのないように、彼に印をつけた。
And the LORD set a mark upon Cain, lest any finding him should kill him.

聖書の記述では、主がカインに印をつけたのはカインが殺されないようにするためだったので、mark of Cainのもともとの意味は「神に守られていることの印」です。
でも、現代英語では、「罪を犯したことの印、罪や欠点を持っていることの印」という意味で使われることのほうが多いようです。

使い方

You told everybody that I had head lice. Now I'm branded with a **mark of Cain** and nobody wants to even talk to me.
僕の頭にケジラミがいたとおまえがみんなに言ったせいで、今じゃ僕はカインの印をつけられてもう誰も僕と話そうともしてくれない。

２０１１年の大統領予備選で共和党のハーマン・ケイン（Herman Cain）候補の支持率が上がり、対立候補から非難されても支持率が落ちなかったときに、コメンテイターが「まるでカインの印をつけられたみたいで、彼はどんな批判ものともしない」（It's as if he's got the Mark of Cain, he's untouchable.）と言っていました。Herman CainとCain and AbelのCainをかけたこの一言は、カインの印がもともとの意味で使われた用例です。
ちなみに、「お尋ね者、要注意人物、命を狙われている人間、殺し屋や非難の標的となっている人物」のことをa marked manと言うのですが、これも今ご紹介した聖書の記述が出典なんですよね。

「ノアの箱船」にはたくさん含意がある　*Noah's Ark*

ノアの箱船のお話は日本でもおなじみだと思いますが、ここで簡単におさらいしておきましょう。

人間が地上に悪をはびこらせたので、神は創造物を一掃しようと決意しますが、神の教えに従っている敬虔で誠実なノアと彼の家族だけは助けることにし、ノアに箱船を造るよう命じて、こう言います。

> ただし、私はあなたと契約を結ぼう。あなたは子どもたちと妻と、子どもたちの妻たちと共に箱船に入りなさい。また、すべての生き物、すべての動物から、1種類について2匹ずつ箱船に入れあなたと共に命を保たせなさい。それらは雄と雌とでなければならない。

箱船は、長さ・幅・高さが３００×50×30キュビットの３階建て。キュビットという単位は20

インチよりちょっと長いので、全長３００キュビット＝フットボール・フィールドの１・５倍の長さ、という巨大なものです。

そして、神は、ノアにこう告げます。

7日の後、私は40日40夜、地に雨を降らせ、私が創ったすべての生き物を地表からぬぐい去ろう。

雨で世界が洪水に飲まれすべてが死に絶えた後、箱船はアララット山の山腹にたどりつき、神はノアに「生めよ、増えよ、地に満ちよ」(Be fruitful, and multiply, and replenish the earth.)と言います。

というわけで、Noah's arkは、「大洪水」、「選ばれたものたちだけの集団」、「種の保存」、「動物の救済」、「ペアじゃないと出席できない会合」などの話題になるとよく引き合いに出されるのです。

２００１年にアメリカで放映されていたメルセデスE-ClassのＣＭは、さまざまなつがいの動物たち、高価な美術品などと一緒に、メルセデスE-Classが２台並んでノアの箱船に乗り込む、というものでした。ノアの箱船を使うことで「後世に残すに足る、選ばれたクルマ」というイメージを醸し出すことができたわけです。

テキサスのA&M University（農業工業大学）では、絶滅寸前の動物たちの精子、卵子、細胞、ＤＮＡなどを保存して種の存続のために役立てようとしていますが、このプロジェクトはProject Noah's Ark（ノアの箱船プロジェクト）と呼ばれています。また、アイオワにはThe Noah's Ark Animal Foundation（ノアの箱船動物財団）というアニマル・シェルターがありますが、これらの名称も種の保存や動物保護にふさわしいものですよね。

また、環境保護を訴えてノーベル平和賞を受賞したアル・ゴア元副大統領は、「現代のノア」（the modern day Noah）と呼ばれることがありますが、これも聖書を知っているとピンと来る表現ですよね。

使い方

What a beautiful garden! You have all kinds of flowers. It's like a plant version of **Noah's Ark**.

きれいなお庭ねぇ！　いろんな種類の花があって、ノアの箱船の植物版っていう感じね。

My aunt loves animals and she adopts all kinds of abandoned animals. She has more animals than **Noah's Ark**.

僕のおばさんは動物が大好きでいろんな種類の捨てられた動物を保護していて、ノアの箱船よりたくさんの動物を飼ってる。

Of course you can go to the party without a partner. It's just a party, not **Noah's Ark**!

もちろんパートナーなしでもパーティーに行けるよ。ノアの箱船じゃあるまいし、ただのパーティーなんだから。

英雄モーゼ　*Moses*

時代はだいぶ下って、モーゼ（Moses）の頃に飛びましょう。（モーゼについての詳しい話は84ページをご覧ください。）

イスラエルの民をエジプトから救出し、約束の地へと導いたモーゼは、「窮地から救ってくれる人、正しい方向に導いてくれる人」の代名詞として使われることが少なくありません。

使い方

What we need is a modern day **Moses** to lead us out of this mess.

僕たちに必要なのは、僕たちをこの混乱状態から脱出させてくれる現代版のモーゼだ。

モーゼが紅海を分けるシーンから喚起されること *Moses parting the Red Sea*

モーゼがイスラエルの民を率いて約束の地へと向かっているとき、ファラオは決意を翻し、モーゼたちを追いかけます。エジプトの軍勢に追いつかれたイスラエルの民は紅海を前にして立ち往生してしまうのですが、ここでまた奇跡が彼らを救ってくれます。

出エジプト記14章の記述を見てみましょう。

モーゼが手を海の上に差し伸べると、主は夜通し強い東風を起こして海を退かせ、海を乾いた陸地にして、水を分けた。

And Moses stretched out his hand over the sea; and the LORD caused the sea to go back by a strong east wind all that night, and made the sea dry land, and the waters were divided.

そして、イスラエルの民は両側が水の壁という海の中の道を進んで対岸に渡ります。

で、エジプト軍がこの道に入ったとき、神の命令に従いモーゼが手を差し伸べると、水の壁が崩れて海が元に戻り、エジプト軍は海に飲み込まれてしまいます。

実は、アメリカでは毎年、復活祭とクリスマスにチャールトン・ヘストン主演の『十戒』がテレビで放送されているので、このシーンも含め、エジプト脱出の物語を知らない人はいないと言っても過言ではなく、特にこのシーンは有名です。（十戒に関しては90ページ参照。）

そのため、モーゼが紅海を分けるイメージは、群衆が左右にはけたり、社会や国を真っ二つに分ける、などのイメージと重ねて使われることがよくあるのです。

使い方

When our quarterback walked into the reception, it was like **Moses parting the Red Sea**.

僕たちのクオーターバックがパーティー会場に入ってきたときは、モーゼが紅海を分けたような感じだった。

聖書の記述を知っていると、群衆がスターのためにサーッと身を引いて道を空けるシーンが目に浮かびますよね。

Obama is the most partisan, most polarizing figure in American history. He has divided America like **Moses divided the Red Sea**.

オバマはアメリカ史上最も党派心が強く、最も世論を二分する人物で、モーゼが紅海を分けたようにアメリカを分裂させた。

これも、聖書を知っていると、オバマがアメリカを真っ二つに裂いて、リベラル派と保守派の間に深い溝ができた、というイメージを鮮明に思い浮かべることができるでしょう。

いけにえの子羊　*sacrificial lamb*

「いけにえの子羊」(sacrificial lamb) は日本語のいけにえとほぼ同じ意味で使われます。聖書には、このフレーズ自体は出てこないのですが、イスラエルの民たちが神への服従の証拠として、あるいは罪の償いとして、または謝意の象徴として子羊を神へ捧げる、という話が繰り返し出てきます。

特に有名なのは、汚れた動物の死体に触れたり、愚かな誓いを立てたりするなどの罪を犯したときの対処法が紹介されている、レビ記5章の記述です。

犯した罪の償いとして、雌の家畜、雌の子羊か雌の山羊を主のもとに連れて行き罪祭とせねばならぬ。

And he shall bring his trespass offering unto the LORD for his sin which he hath sinned, a female from the flock, a lamb or a kid of the goats, for a sin offering.

ここから、sacrificial lambは「大儀のために払う犠牲、誰かの怒りを静めるために捧げるいけにえのようなもの」という意味で使われるようになり、場合によっては次にご紹介するscapegoat（スケープゴート）同様に「トカゲのしっぽ切り」という意味合いになることもあります。

使い方

I can't vote for a politician who's eager to offer up Israel as the **sacrificial lamb** to appease muslims.

イスラム教徒をなだめるためにイスラエルをいけにえの羊として捧げたがっているような政治家には投票できない。

The whole company is corrupt but only one secretary was fired as a **sacrificial lamb**.

会社全体が汚職まみれなのに、秘書1人だけがいけにえの羊として首になった。

スケープゴートは旧約の時代からあった！　*scapegoat*

カタカナ英語として定着しつつあるスケープゴートは、レビ記で主が罪のあがない方を教えるくだりに出てきます。

アーロンは2頭のヤギのためにくじを引かねばならない。1つのくじは主のため、もう1つはスケープゴートのためだ。そしてアーロンは主のためのくじに当たったヤギを罪祭として捧げなければならない。しかしスケープゴートとなったヤギは主の前で生きたまま差し出され、あがないをし、スケープゴートとして荒野に送り出さねばならない。

And Aaron shall cast lots upon the two goats; one lot for the LORD, and the other lot for the scapegoat. And Aaron shall bring the goat upon which the LORD's lot fell, and offer him for a sin offering. But the goat, on which the lot fell to be the scapegoat, shall be presented alive before the LORD, to make an atonement with him, and to let him go for a scapegoat into the wilderness.

scapegoatと訳されている元のヘブライ語である「アザゼル」は、「除去、追放」という意味を持っています。

つまり、スケープゴートは他人の罪をあがなうために荒野や砂漠に追放されるヤギ、ということで、現代英語では「身代わりとして犠牲になる／他者の罪を負わされる人・物・動物、いけにえ」という意味で使われているのです。

また、scapegoatは「スケープゴートにする」という動詞としてもよく使われます。

使い方

A lot of people still believe Lee Harvey Oswald was a **scapegoat**.

リー・ハーヴィー・オズワルドはスケープゴートだったと信じている人がまだたくさんいる。

He was **scapegoated** because he came from a lower-class family.

彼は貧しい家の出身だったのでスケープゴートにされた。

たとえ火の中、水の中　*go through fire and water*

日本語の「たとえ火の中、水の中」という表現とまったく同じこの表現は民数記31章の記述が元になっています。

ユダヤ教の祭司、エレアザルが出陣する兵士たちにこう言います。

これはモーゼが命じた律法の定めである。金、銀、青銅、鉄、すず、鉛、火に耐える物はすべて火の中を通さねばならぬ。そうすれば清くなるからだ。さらに、清めの水で清めねばならない。しかし、火に耐えない物はすべて水の中を通さなければならない。

Only the gold, and the silver, the brass, the iron, the tin, and the lead, Every thing that may abide the fire, ye shall make it go through the fire, and it shall be clean: nevertheless it shall be purified with the water of separation: and all that abideth not the fire ye shall make go through the water.

金属を、火と水という試練に耐えさせて清めろというモーゼの掟から、「どんな試練にも耐える」という意味で go through fire and water が使われるようになりました。

使い方

I'd **go through fire and water** for you.
君のためならたとえ火の中、水の中、だよ。

The firefighters literally went **through fire and water** to rescue the baby.
消防士たちは文字通り火と水をくぐり抜け、ひどい試練に耐えて赤ちゃんを救い出した。

不倫の代名詞「ダビデとバテシバ」 *David and Bathsheba*

聖書にはさまざまな人が登場します。まずはダビデとバテシバから。

三角関係や不倫の代名詞として使われるこの2人の関係は、サムエル記下11、12章に描かれています。

屋上にいたダビデ王は、美女が入浴している姿をたまたま目にし、彼女の身元を探らせ、家臣であるウリヤの妻、バテシバであることを知りますが、誘惑に負けて彼女と寝てしまいます。

彼女が妊娠したことを知った後、ダビデはウリヤを戦地から呼び寄せて家に帰し、妻と寝させようとします。でも、ウリヤが「他の兵士たちが野原で陣を取っているのに、自分だけ家に帰って飲み食いして妻と寝ることはできない」と、家に帰ることを拒みます。

そこでダビデは部下にこう命じます。

> ウリヤを最も激しい戦場の最前線に送り、彼から退いて、彼が攻撃されて死ぬようにせよ。

こうしてウリヤが戦死し、喪の期間が過ぎた後、ダビデはバテシバと結婚し、彼女は男の子を産みます。

主はダビデの悪行を知って怒り、バテシバが産んだ子を撃ち、この子が病気になったので、ダビデは神に嘆願して断食をしますが、子どもは7日目に死にます。

この逸話から、David and Bathshebaは「危険な三角関係、道義に反する浮気、陰謀渦巻く不倫、人妻を寝取ること」の代名詞として使われるようになりました。

使い方

Don't tell me you're trying to steal her boyfriend! Learn from **David and Bathsheba!**

彼女のボーイフレンドを盗もうとしてるんじゃないでしょうね。ダビデとバテシバを教訓にしなさいよ！

A friend of mine is trapped in a treacherous love triangle. A bit like **David and Bathsheba**.

友だちが裏切りに満ちた三角関係にはまってるの。ちょっとダビデとバテシバっぽいのよね。

ちなみにこの後、バテシバはまた妊娠し、男の子を産むのですが、この子こそが後に賢者として名高いイスラエル3代目の王となるソロモンなんですよね。その名君ぶりから、「ソロモンの知恵」（the wisdom of Solomon）という表現も生まれました。ですから、ダビデとバテシバのお話は最終的にはハッピーエンドなのですが、日常会話では不倫の訓戒として使われています。

イゼベルは「恥知らずでふしだらな女」のこと　*Jezebel*

「恥知らずでふしだらな女」の代名詞として使われるイゼベル（Jezebel）は、列王紀に登場する女性です。

イゼベルはイスラエル王アハブの奥さんなのですが、十戒で禁じられている偶像崇拝をするバール教の信者で、神の預言者を滅ぼしたり、無実の人に罪を着せて殺したり、その人のぶどう園を乗っ取るなどさまざまな悪行を犯します。

そのため、預言者エリシャは、神が「エズレルの地で犬がイゼベルを食い、誰も彼女を葬るまい」(And the dogs shall eat Jezebel in the portion of Jezreel, and there shall be none to bury her.) と告げた、と言います。

さてアハブが戦死した後、新しい王に選ばれたエヒウがエズレルに来たとき、イゼベルはアイシャドウをつけ、髪を飾ってエヒウを誘惑しようとしますが、エヒウを支持する宦官に窓から突き落とされて、道路で馬に踏みつけられて無惨な死を遂げます。

ここから、Jezebelは「恥知らずでモラルがない女」の代名詞として使われるようになりました。

使い方

She's a typical **Jezebel**, shameless and wicked to the core and totally selfish.
彼女は典型的なイゼベルだね。芯まで恥知らずで邪悪で、完全に自己チューだ。

Don't even talk to her. Everybody knows that she's a local **Jezebel**.
彼女とは話すことさえしないほうがいい。彼女はこの界隈では知られたふしだらな女だから。

ヨブの妻は「邪悪な女」　*Job's wife*

邪悪な女の代名詞として使われるヨブの妻（Job's wife）は、ヨブ記に登場します。

ヨブは、神を恐れる正しい人間で、息子７人、娘３人に恵まれ、羊７０００頭、らくだ３０００頭、牛５００頭、雌ロバ５００頭を保有し、召使いもたくさんいました。息子たちがもしかしたら罪を犯し、心の中で神を呪ったかもしれないという不安から、毎朝早く起きては罪祭を捧げていました。

ある日、サタン（悪魔）が神に、「ヨブが神を恐れているのは彼が物質的に恵まれ、神が彼の勤労を祝福しているからで、彼のすべての所有物を撃ったら、彼はあなたを呪うでしょう」と言います。そこで神はサタンに、「彼のすべての所有物をおまえの手に任せるが、彼の身には手をつけるな」と言います。

この後、ヨブの家畜と子どもたちが全員死んでしまうのですが、ヨブは神を呪わなかったので、サタンは主に「彼の骨と肉を撃ったら、彼はあなたを呪うでしょう」と言い、神はヨブの身をサタンの手に任せます。サタンの仕業で、ヨブは全身に腫れ物ができてしまいます。

そのとき、妻がヨブにこう言います。

あなたはまだ高潔さを保っているのですか？　神を呪って死になさい。
Dost thou still retain thine integrity? curse God, and die.

これに対し、ヨブは「おまえは愚かな女のようなことを言っている。我々は神から幸いを受けるのだから、災いをも受けるべきだろう」と答えます。
この記述から、ヨブの妻（Job's wife）は、「邪悪な（ことを言う）女、苦境に立っている人にひどいことを言う女」の代名詞として使われるようになりました。

使い方

Unlike **Job's wife**, Hillary stood by her husband in his darkest hour.
ヨブの妻と違って、ヒラリーは夫の最もつらい時期に彼を支えた。

My father's new wife is as wicked as **Job's wife**.
僕の父親の新しい奥さんはヨブの妻と同じくらい邪悪だ。

では、「ヨブを慰める人」は？　*Job's comforters*

全身に腫れ物ができてしまい、陶器の破片で身を掻き、灰の中に座っていたヨブを慰めに友だちがやって来ます。

ヨブは敬虔、勤勉、誠実な人で、自分に非があってこんな災難に襲われているわけではないのに、友だちは「正しき者は滅ぼされない」とか、「悔い改めよ」などと、ヨブの災難はヨブが悪いことをした罰であるかのようなことを言うのです。

そこでヨブは、彼らに「あなたがたは皆、ひどい慰め人だ（慰めようとしてかえって人をひどい目にあわせる人だ＝miserable comforters are ye all)」と言います。

そのため、「悩んでいる人や悲しんでいる人を慰めるつもりで、かえって悩みや悲しみを増すようなことを言ってしまう人」のことをJob's comforter(s)と言うようになりました。

使い方

Don't tell me it's my fault that she cheated on me. I've got enough **Job's comforters** already.

彼女が僕を裏切って浮気したのは僕のせいだ、なんて言わないでくれよ。ヨブを慰める人はすでにたくさんいるから（すでにたくさんの人が慰めるつもりでひどいことを言ってくれたから）。

骨と皮だけ／歯の皮をもって逃れる

(nothing but) skin and bones / by the skin of one's teeth

友だちにさんざん無用な「慰めの言葉」をかけられた後、ヨブはこう言います。

私は骨と皮のみになり、歯の皮のみをもって逃れた。

I am nothing but skin and bones; I have escaped with only the skin of my teeth.（NIV）

「骨と皮だけ」（(nothing but) skin and bones）、というのは日本語でも「やせ細った、激減した、弱体化した」という意味で使われますよね。

「歯の皮のみをもって」という意味のby/with the skin of one's teethは、歯に皮はないので、「誤差やゆとりがほとんどゼロで、僅差で」というニュアンスで、「やっとのことで、間一髪で、かろうじて」という意味で使われています。聖書ではwithが使われていますが、現代英語ではbyが使われることが多いです。

使い方

Lara became anorexic and she was reduced to **skin and bones**.
ララは拒食症になり骨と皮だけになってしまった。

Lakers beat Nicks **by the skin of their teeth**.
レイカーズがニックスを僅差で負かした。

I jumped out of the burning building **by the skin of my teeth**.
私は命からがら、燃えているビルから飛び出した。

ヨブはとにかく忍耐の人！　*the patience of Job*

ヨブはさまざまな災難に遭い、自分が生まれた日を呪い「なぜ私はこんなひどい目にあうのですか？」と神に説明を求めはしたものの、神のことは呪いませんでした。

そして最後には神がヨブの前に現れ、神の意図は計り知れないと告げた後、ヨブは神の絶対性を理解したので、神は以前の２倍の財産と、男児７人、女児３人をヨブに与えました。

ですからヨブ記は、どれほどひどい目にあっても、辛抱して神を信じていればハッピーエンドが待っているという教訓としてよく引用され、新約聖書のヤコブの手紙にも出てきます。

ヤコブの手紙は、神と主、イエス・キリストの僕であるヤコブが離散しているイスラエルの12部族の人々に送った書簡です。

ヤコブの手紙５章の記述を見てみましょう。

> 兄弟たちよ、苦痛を堪え忍ぶことに関しては、主の名において語った預言者たちを模範とせよ。見よ、耐え抜いた人々は幸いであると、我々は思う。
> あなたがたはヨブの忍耐のことを聞き、主の行為の結末を見て、主が非常に慈悲深く慈愛溢れる方であると知っている。

Ye have heard of the patience of Job, and have seen the end of the Lord; that the Lord is very pitiful, and of tender mercy.

ヨブ記と、ヤコブの手紙のこの表現から、the patience of Jobは「どれほどの逆境や苦痛にも耐える究極の忍耐」という意味で使われています。

使い方

It takes **the patience of Job** to go through the red tape.
官僚主義の形式的手続きを済ませるためにはヨブの忍耐が必要だ。

It's a daunting task. We need a leader who has **the patience of Job** and the wisdom of Solomon.
これは気が遠くなるほど困難な仕事だから、ヨブの忍耐とソロモンの知恵を備えたリーダーが必要だ。

the patience of Jobは、the wisdom of Solomon（ソロモンの知恵）と対になって、the patience of Job and the wisdom of Solomon/the wisdom of Solomon and the patience of Jobと

いう形で使われることも少なくありません。(the wisdom of Solomonは43ページ参照)

人はパンのみにて生きるにあらず　*Man does not live by bread alone*

日本語でもおなじみのこの表現は、マタイによる福音書4章に由来します。

イエスは、悪魔に試されるために、霊に導かれて荒野に行きます。そこで40日40夜にわたって断食をして空腹になった後、彼を試みる者が来て、「あなたが神の子なら、これらの石にパンになれと命じてみろ」と言います。神の力を濫用してみろというこの誘惑に対して、イエスはこう言うのです。

「人はパンのみにて生きるにあらず、神の口から出る一つ一つの言葉で生きるものだ」と、書いてある。

It is written, Man shall not live by bread alone, but by every word that proceedeth out of the mouth of God.

聖書の記述は、「食べ物よりも神の言葉が大事」という意味ですが、現代英語では「食べ物や物質的に満たされた生活よりも大切なものがある」という意味で使われることが多い表現です。

また、「パン」の部分にさまざまな名詞を代わりに入れたバリエーションもよく使われています。

使い方

She left her millionaire husband for a poor art student. Obviously, **woman does not live on bread alone**.

彼女は億万長者の夫を捨てて貧乏な画学生のもとに走った。明らかに女性はパンのみにて生きるにあらず、ということだ。

Everybody loves his music and he is a skilled guitarist, but he shouldn't quit his day job because he **can't live on praise alone**.

みんな彼の音楽が大好きで彼はすごくギターがうまいけど、ほめ言葉だけでは生きていけないから彼は本業を辞めるべきじゃない。

聖書の記述を知っていると、２つめの文章からは「物質的、経済的なことがやっぱり大切」という皮肉なひねりを読み取ることができますよね。

「もう少しがんばる」ときに使う言葉　*go the extra mile*

「期待されている以上の努力をする」という意味で頻繁に使われるこの表現は、マタイによる福音書5章に記されているイエスの言葉に由来します。

イエスは「右の頬を打たれたら、左の頬も向けなさい」（94ページ参照）という有名な教えを説いた後、こう言っています。

誰かがあなたに1マイル行くことを強いるなら、その人と共に2マイル行きなさい。

And whosoever shall compel thee to go a mile, go with him twain.

twainはtwoを意味する古い英語です。イエスのこの言葉から派生したgo the extra mileは、「義務づけられた以上の仕事・努力をする、もうひとがんばりする」の意味でよく使われます。

使い方

He's the kind of guy who'd **go the extra mile** for his friends.

彼は友だちのために必要以上の努力をしてくれるような人間だ。

「豚に真珠」も聖書がルーツ！　*pearls before swine*

日本語でおなじみの「豚に真珠」、実は聖書が語源なのです！　これもマタイによる福音書の7章に出てきます。

神聖なものを犬にやるな。また真珠を豚に投げてやるな。彼らはそれを足で踏みつけ、向き直ってあなたを引きちぎるだろうから。

Give not that which is holy unto the dogs, neither cast ye your pearls before swine, lest they trample them under their feet, and turn again and rend you.

使い方は日本語の「豚に真珠」とまったく同じです。

使い方

You gave Josh a Versace jacket? Are you kidding me? He's a T-shirt and jeans guy.

Talk about **pearls before swine!**

ジョシュにヴェルサーチのジャケットあげたの？　冗談でしょ？　彼はいつもTシャツとジーンズっていう男よ。まさに豚に真珠だわね。

「求めよ、さらば与えられん」の元の意味　*Ask, and it shall be given to you.*

これは豚に真珠のすぐ後に出てきます。

求めよ、さらば与えられん。捜せよ、さらば見いださん。叩けよ、さらば開かれん。

Ask, and it shall be given you; seek, and ye shall find; knock, and it shall be opened unto you.

この一連の記述は、信心深い人には神がよいものを与えてくれるから、神を信じて求め、探し、門を叩け、という解釈が一般的です。

でも、日常会話では神や信仰とは無関係に、「辛抱強く求め続ければ求めるものを手に入れられる、〝くれない？〟と聞けば与えてもらえる」という意味合いで使われることが多いですね。
日常会話ではgiven to youという形が好まれています。
実は、聖書ではこの後、こう続いています。

求める者たちはすべて受け取り、捜す者は見つけ、（門を）叩く者には開かれるのだ。
For every one that asketh receiveth; and he that seeketh findeth; and to him that knocketh it shall be opened.

そのため、Ask and you shall receive.という言い方も、日常会話によく出てきます。

使い方

Do you want a letter of recommendation from me? **Ask and it shall be given to you.**
私からの推薦状が欲しい？　求めよ、さらば与えられん。

盆に頭を載せる状況とは… *have someone's head on a platter*

「厳しく罰する」という意味で使われるこの表現は、マタイによる福音書14章に由来します。ガレリヤの領主ヘロデは、かつて自分の異母兄弟ピリポ（普通のカタカナ英語だとフィリップ）の妻ヘロデヤをめとろうとしたとき、預言者ヨハネに「その女をめとるのはよくない」と言われ、ヨハネを殺そうと思ったのですが、群衆から反感を買うのを恐れて殺しませんでした。

ヘロデは結局ヘロデヤと結婚しますが、自分の誕生日にダンスを踊って楽しませてくれたヘロデヤの娘に「望むものをどんなものであろうと与える」と誓って約束します。そこで娘のサロメは母にそそのかされてこう言いました。

洗礼を授ける者、ヨハネの首を盆に乗せて、ここに持ってきてください。
Give me here on a platter the head of John the Baptist.（NIV）

ヘロデは困ったものの、誓いを覆すわけにはいかないので、すでに捕らえられて牢獄に入れられていたヨハネの首を切らせて、首を盆に載せて娘のところによこさせ、娘はそれを母のところに持って行きました。

聖書では、文字通りヨハネの切断された首（頭部）がお盆に載せられたのですが、日常会話ではhave someone's head on a platterは比喩的な表現で「厳しい罰を与える」という意味で使われるようになりました。

使い方

I can't believe she betrayed me! I wanna **have her head on a platter!**

彼女が私を裏切ったなんて信じられないわ！　彼女の首をお盆に載せてやりたい（彼女のことを厳しく罰してやりたい）！」

羊と山羊を分けるとどうなるか？　*separate the sheep from the goats*

「善と悪を分ける」という意味でよく使われるこの表現は、マタイによる福音書25章の、最後の審判の火に関する記述に由来します。聖書の記述を見てみましょう。

人の子が栄光の中、すべての天使を連れて来るとき、彼はその栄光の座につくだろう。

そしてすべての国々の人々が彼の前に集まり、彼は羊飼いが羊と山羊を分けるように人々を分けるだろう。

And before him shall be gathered all nations: and he shall separate them one from another, as a shepherd divideth his sheep from the goats.

そして彼は羊を右に、山羊を左に置くだろう。

その後、王は右にいる人々に言うだろう。「私の父に祝福された人々よ、世が創られた時からあなたがたのために用意されていた王国を受け継ぎなさい。あなたがたは私が空腹の時に食べ物を与え、のどが渇いていたときに飲み物を与え、

旅人であったときに宿を貸してくれた。

I was a stranger, and ye took me in.

裸だったときに服を着せ、病気の時に見舞い、投獄されていたときに訪ねてくれたからである。

で、この後、王は左にいる人々を「呪われし者ども」と呼び、彼らに「悪魔とその手下のために用意されている永遠の火に入れ」と言っています。

つまり、羊は善人、山羊は悪人ということで、separate the sheep from the goatsが「善人・良いものと、悪人・悪いものを分ける」という意味なのです。英語で山羊に「悪人、罪を悔い改

めない人」という悪いイメージがつきまとうことが多いのは、この記述のせいなのです。

また、be a stranger and ... took ... in は「赤の他人に親切にする、放浪者やホームレスや捨て猫・犬などを受け入れる、仲間はずれだった人と友だちになる」という意味で使われるようになりました。このstrangerは「その土地に不慣れな人、旅人、放浪者、よそ者」というニュアンスです。

使い方

There's a lot of welfare fraud going on but we can't cut welfare programs. We just have to **separate the sheep from the goats**.

福祉詐欺がたくさん起きてるけど福祉政策をカットするわけにはいかない。善（本当に福祉が必要な人）と悪（詐欺で福祉資金をだまし取っている人）を分けなきゃいけないだけでしょう。

The internet is full of disinformation and misinformation and it's really difficult to **separate the sheep from the goats**.

ネット上には偽情報と誤報が溢れていて、善（正しい情報）と悪（虚報、誤報）を分けるのがすごく難しい。

Look at this little kitty. She was a stray. Isn't she cute? **She was a stranger and I took her in.**

この子猫、見てよ。野良猫だったのよ。かわいいでしょう？　放浪者だったけど私が飼ってあげたのよ。

断じてあり得ない！　*God forbid*

この表現は聖書に何度も登場し、ローマの信徒への手紙だけでも10回出てきます。ここでは、特に印象深いローマの信徒への手紙3章をご紹介しましょう。

パウロは、神の言葉がユダヤ人に与えられたと述べた後、こう言っています。

> 彼ら（ユダヤ人）の中に不誠実な者がいたら、その不誠実のせいで神の誠実さが無効にされてしまうだろうか？
> 断じてそうではない。God forbid.
> 人間がすべて偽る者であったとしても、神は真なる者である。

God forbidは、直訳すると「神が禁じる」。「絶対にそんなことはない、そんなことがあってたまるか、そんなことが起きませんように、とんでもない、冗談じゃない」という意味で日常会話に頻繁に登場するこの表現も、出典は聖書だったんですよ！

使い方

What if, **God forbid**, another terrorist attack strikes America?

そんなことはあってはならないんだけど、もしまたアメリカがテロ攻撃にあったとしたらどうなるだろうか？

Are we really thinking about hiring an ex-con? **God forbid!**

僕たちはマジで前科者を雇おうとしてるわけ？　冗談だろう！

信仰は山をも動かす　*faith will/can move mountains*

日本語でもおなじみのこの一言は、マタイによる福音書とコリントの信徒への手紙1に出てきます。まず、マタイによる福音書21章を見てみましょう。

朝、都に帰るときイエスは空腹を覚えた。途中で、いちじくの木を見つけ、そばに行ったが、葉以外には何もなかったので、イエスはこう言った。「今後永遠におまえに実がならないように」。すると、いちじくの木はたちまち枯れた。

弟子たちはこれを見て驚き、こう言った。「いちじくの木がこんなにすぐに枯れるとは！」

イエスは答えて、こう言った。「よく聞くがよい。あなた方がもし信じて疑わないならば、このいちじくの木になされたようなことがあなた方にもできるばかりでなく、この山に向かって、どいて、海の中に身を投げろ、と言えば、その通りになる」

If ye shall say unto this mountain, Be thou removed, and be thou cast into the sea; it shall be done.

次に、コリントの信徒への手紙1、13章を見てみましょう（話者はパウロです）。

たとえ私に預言する能力があり、あらゆる奥義を悟りすべての知識を備えていて、たとえ山を動かす信仰があったとしても、愛がなければ私は無に等しい。

If I have the gift of prophecy and can fathom all mysteries and all knowledge, and if I have a faith that can move mountains, but have not love, I am nothing. (NIV)

イエスは信仰の重要性を説き、パウロは愛の重要性を説いているのですが、これらの記述から派生したfaith will/can move mountains が「信じる心があれば山をも動かすことができる」という意味であることには変わりはないですよね。

聖書に出てくるfaithは「神を信じる心、キリスト教の信仰」のことですが、日常会話では単に「何かを信じる心、信条、信念」という意味で使われることが多いです。

使い方

Don't lose faith in yourself. Remember, **faith can move mountains.**

自分を信じる心を失っちゃダメだよ。信じる心は山をも動かすっていうこと、覚えておいて。

真理はあなたがたを自由にする　*the truth will/shall set you free*

日常会話に頻繁に登場するこの表現は、ヨハネによる福音書8章に出てきます。イエスは、自分のことを信じたユダヤ人たちにこう言っています。

もし私の教えを守るなら、あなたがたは真に私の弟子だ。
そしてあなたがたは真理を知り、真理はあなたがたを自由にするだろう。
Then you will know the truth, and the truth will set you free.（NIV）

このコンテクストにおける真理（the truth）とは「キリスト教の教え、神の言葉」のことで、それに従えば、堕落した悪の奴隷という状態から解放されて自由になる、という意味です。

でも、日常会話では、こういう深い意味ではなく「嘘をつかずに真実を言えば悪の束縛から解放されて自由になれる、本当のことを言えばほがらかな気分になれる」というニュアンスで使われることのほうが多いようです。

また、法廷で偽証しようとしている人などに「真実を言えば投獄されずにすむ」という文字通りの意味で使われることもあります。

使い方

My mother always knew when I was lying and she used to say: Just tell the truth. **The truth shall set you free**.

僕の母親は僕が嘘をついたときは必ず嘘だと見破っていて、よくこう言ってた。「とにかく本当のことを言いなさい。真実を言えば解放感が味わえるんだから」

He knows he's gonna be the fall guy, but he is still covering up for the president. His wife should tell him **the truth shall set him free**. We need to get to the bottom of this scandal.

彼は自分がスケープゴートにされるとわかっていながら大統領をかばって隠蔽工作をしている。彼の奥さんは、真実が彼を解放してくれる、と彼に言うべきだ。僕たちはこのスキャンダルの真相を知る必要があるのだから。

真珠の門　*pearly gate*

これは天国の門のことで、ヨハネの黙示録に出てくる記述が元になっています。21章で、7人の天使のうちの1人が、聖都エルサレムが神のもとを出て天から下ってくる様子をヨハネに見せてくれます。

ヨハネは、「その都の輝きは高価な宝石のようで、高い城壁に囲まれ、東西南北に3つずつ門がある」と説明した後、こう言っています。

12の門は12の真珠で、それぞれの門は1つの真珠で造られていた。

And the twelve gates were twelve pearls: every several gate was of one pearl.

天から下ってきた聖都エルサレムとは、つまり天国のことです。

聖書にはpearly gateというフレーズは出てこないのですが、右の記述からpearly gateが天国の門を意味するようになりました。

クリスチャンは、ペテロが真珠の門の門番で、天国に入れる人と入れない人を振り分けている、と信じています。これは、マタイによる福音書16章で、イエスがペテロに「私はあなたに天国の鍵をあずけよう」（I will give unto thee the keys of the kingdom of heaven）と言っているからです。

この項目では、用例の代わりにクリスチャンなら一度は必ず聞いたことがあるJesus at the Pearly Gates（真珠の門で門番をするイエス）と呼ばれているジョークをご紹介しましょう。イエスは大工の息子でしたが、そのことを頭の片隅にとどめておいてください。

ペテロが真珠の門のところで門番をしていると、神の子イエスがやって来たので、ペテロはイエスに「ちょっと用があるので、その間私の代わりに門番をお願いできますでしょうか？」と尋ねた。

イエスは「引き受けよう」と答え、「何をすればいいのか？」と尋ねたので、ペテロはこう答えた。「やって来る人々に、経歴、家族、生き方に関する質問をして、天国に入るに値するかどうか決めてください」

ペテロの代わりに門番を始めたイエスのもとに最初にやって来たのは、しわだらけの老人だった。イエスが「生前はどんな仕事をしていたのですか？」と尋ねると、老人は「大工でした」と答えた。

イエスは自分が地上にいたときのことを思い出し、身を乗り出して「家族はいましたか？」と尋ねると、老人は「息子がいましたが、私より早く死んでしまいました。実の息子ではなかったのですが、とても愛していました」と答えた。

この答えを聞き、イエスはさらに身を乗り出して「あなたは私のお父さんですか？」とささやくと、老人も身を乗り出して、こうささやいた。

「おまえはピノキオかい？」

第 2 章

メディアと聖書

～新聞・雑誌の理解度が 120%増す

この章では、新聞や雑誌、テレビ、ラジオ、ブログなどのメディアによく出てくる聖書の表現をご紹介しましょう。

聖書を知っていると、ニュースやコメンテイター、アナリストの言葉、時事的な話題の理解度も一気に激増。というか、聖書を知らないと真の意味がわからないことが多いので、出典をしっかりおさえておきましょうね！

この章で取り上げている表現は日常会話にもよく登場するので、みなさんも機会があったら使ってみてください。

始まりはすべて、アダムとイヴから　*Adam and Eve*

まず、第1章で紹介したアダムとイヴは、創世記に出てきます。創世記2章を見てみましょう。

主なる神は土のちりで人（男）を造り、命の息をその鼻に吹き入れ、人は生きた者となった。主なる神は東の方、エデンに1つの園を設けて造った人（男）をそこに置いた。

And the LORD God formed man of the dust of the ground, and breathed into his nostrils the breath of life; and man became a living soul. And the LORD God planted a garden eastward in Eden; and there he put the man whom he had formed.

このすぐ後で聖書はこの男をアダム（Adam）と呼んでいます。

次に、アダムの相手として神が女を造る記述を見てみましょう。

主なる神はアダムを深く眠らせ、彼が眠ったときにあばら骨の1つを取ってそこを肉でふさいだ。そして主なる神は人（男）から取ったあばら骨で女を造り、人（男）のところへ連れてきた。

And the LORD God caused a deep sleep to fall upon Adam, and he slept: and he took one of his ribs, and closed up the flesh instead thereof; And the rib, which the LORD God had taken from man, made he a woman, and brought her unto the man.

そして聖書は、女はもともと男の一部だったことを理由に挙げて、「それゆえ男は父母から離れて妻と結び合い一体となる」（Therefore shall a man leave his father and his mother, and shall cleave unto his wife: and they shall be one flesh.）と記しています。

アダムは妻をイヴと名付けました。そして創世記４章には、こう記されています。

アダムはその妻エバを知った。そして彼女は身ごもり、カインを産んだ。
And Adam knew Eve his wife; and she conceived, and bare Cain.

ここから、Adam and Eveは「男と女、最初の人間」、また、know someone in the biblical sense（直訳では「聖書的な意味合いで知り合いになる」）は「誰かとセックスをする、肉体関係を持つ」という意味で使われるようになりました。

使い方

God created **Adam and Eve**. NOT Adam and Steve.

神はアダムとスティーヴではなく、アダムとイヴを創造した。

「神は男性であるアダムと女性であるイヴをカップルとして造ったのであって、アダムとスティーヴという男性のカップルを造ってはいない」という意味で、同性愛批判のデモで必ず見かけるプラカードの一言です。Steveという名前が出てくるのはEveと脚韻を踏んでいるからです。

Vegetarianism has been around since **Adam and Eve**.

菜食主義は人類の歴史が始まったころから存在していた。

エデンの園でアダムとイヴは木の実を食べていたと信じられているので、よくこう言われています。

We're all children of **Adam and Eve**.

我々はみんな同じ人間だ。

これは、コンテクストによって「人類みな兄弟」というポジティヴな意味にも「我々は皆、原罪（神が食べるなと言った禁断の果実を食べて楽園から追放された）を犯したアダムとイヴの子孫なので罪を免れない」というネガティヴな意味にもなります。

The suspect got to **know the victim in the Biblical sense**.
容疑者は被害者と肉体関係を持った。

イチジクの葉は真実を隠す!?　*a fig leaf*

この表現も、創世記に由来します。アダムとイヴが蛇にそそのかされて、善悪の知恵の木の実を食べるシーンを見てみましょう。

　女が見ると、その木は食べ物としてふさわしく、見た目も好ましく、賢くなるためにもちょうどいいように見えた。女は実を取って食べ、一緒にいた夫にも渡し、彼も食べた。2人の目は開き、自分たちが裸であることを知り、イチジクの葉を縫い合わせて前掛けを作った（前を隠した）。

And the eyes of them both were opened, and they knew that they were naked; and they sewed fig leaves together, and made themselves aprons.

ここから、a fig leaf（イチジクの葉）は「不都合なもの／恥ずかしいことを隠すもの、真実を隠す隠れ蓑、事実から目をそらさせる言い訳」という意味で使われるようになりました。

使い方

The White House grasped for the one **fig leaf** it had: The report's timing was wrong. Obama was still flying to Bagram Air Field Tuesday morning.

ホワイトハウスは大きな隠れ蓑にすがりついた。それは（暴露）記事の時間が間違っていて、オバマは火曜の朝の段階ではまだバグラム飛行場に向かっている途中だ、というものだった。

オバマのカブール行きを極秘にしていたホワイトハウスが、「オバマはカブールにいる」とすっぱ抜いた記事に対して「カブールにはいない」と答えたことを揶揄したワシントンポスト紙の記事です。

オリーヴの枝が平和を表す理由　*an olive branch*

平和の象徴として用いられるこの一言は、ノアの箱船の話に登場します。悪がはびこった地上から創造物を一掃するために神が洪水を起こしますが、善良なノアと彼の家族は神の啓示を受けて箱船を造り、天罰を逃れます。

雨は40日40夜降り注ぎ、山々も洪水に飲み込まれ、箱船に乗らなかった人や地上に住む動物はすべて死に絶えました。雨がやんだ後、ノアは鳩を飛ばしますが、鳩は止まる場所（つまり陸地）が見つけられず戻って来ます。

その後の記述を見てみましょう。

それから7日後、彼は再び箱船から鳩を放った。

鳩は夕方に彼のもとへ帰って来た。見ると、口に摘み取ったオリーヴの葉をくわえていた。

And the dove came in to him in the evening; and, lo, in her mouth was an olive leaf pluckt off:

それでノアは地から水が引いたことを知った。さらに7日待って鳩を放ったら、もう鳩は帰って来なかった。

ここから、オリーヴの葉は「神が人間を許し、地上に再び平和を与えてくれたことの象徴」とみなされるようになり、その解釈が拡張して「平和、謝罪、和解の象徴」になりました。

ただし、英語ではオリーヴの葉（olive leaf）ではなくオリーヴの枝（olive branch）が平和、謝罪の象徴として使われ、extend/hold out/offer an olive branchで「平和／和解／謝罪／休戦を申し出る」というイディオムになります。

キプロスの国旗は、キプロスの地図の下で2本のオリーヴの枝が交差している図柄なんですけど、これは、トルコ系とギリシア系の住民の平和共存の象徴。国連の旗は、北極から見た世界地図を、交差したオリーヴの枝が支えている、という図柄。

ヨーロッパや中東の人々はこの旗を見ただけで、「世界が平和に包まれている」というイメージを抱くことができるのです。

使い方

Today I come bearing an olive branch in one hand, and the freedom fighter's gun in the other. Do not let the olive branch fall from my hand. I repeat, do not let **the olive branch** fall from my hand.

今日、私は片手にオリーヴの枝を、もう片方の手にフリーダム・ファイターの銃を携えて来ました。私の手からオリーヴの枝が落ちないようにしてください。もう一度言います。この手からオリーヴの枝が落ちることを許してはなりません。

これは、１９７４年にＰＬＯのアラファト議長が国連で初めて演説をしたときの名言です。聖書を知っていると、議長のこの言葉の重みをずっしりと感じますよね。

１９９３年、クリントン大統領のリーダーシップのもとでオスロ協定が結ばれたとき、19年ぶりにアメリカにやって来たアラファト氏は、インタビューでこの演説に触れ、This time I am coming with two olive branches.と語っていました。

「ソドムとゴモラ」で英米人が思い浮かべることは　*Sodom and Gomorrah*

「ソドムとゴモラ」はよく知られている話で、創世記13～19章に出てきます。

ソドムとゴモラという都市は邪悪に満ちてしまったため、神はこの２つの都市を滅ぼす決心をします。しかし、その前にソドムに住む善良な人間ロトと彼の家族だけは助けることにします。

神はロトの家族を助け出すために天使を２人ソドムに派遣しますが、彼らがロトの家に宿泊したとき、ソドムの男たちがロトの家を囲み、こう言います。

今夜おまえの所に来た男たちはどこにいるのか？　彼らを我々に引き渡しなさい。我々が彼らを知ること（セックスすること）ができるように。

Where are the men which came in to thee this night? bring them out unto us, that we may know them.

この後、天使たちはロトの家を囲んだ者たちを打ちのめし、ロトの家族がソドムを去るよう促し、「後ろを振り返って見たらあなたは滅びる」と忠告しますが、ロトの奥さんは振り向いてしまうのです。

主は主の居る所、つまり天から硫黄と火をソドムとゴモラに降り注いだ。

Then the LORD rained upon Sodom and upon Gomorrah brimstone and fire from the LORD out of heaven;

そしてこれらの町とすべての低地と、これらの町のすべての住人とその地に生えているものをことごとく滅ぼした。

しかし、ロトの後ろに続いていた彼の妻は振り返ったため塩の柱になった。

But his wife looked back from behind him, and she became a pillar of salt.

ロトの妻が塩の柱になってしまった理由は、

1．天使の忠告、つまり神の言葉に逆らったから

2．振り返るという行為は、邪悪な町で過ごした過去の日々を懐かしんでいる証拠にほかならないから

という解釈が一般的です。

この一連の記述からSodomは「肉欲を貪る堕落した街」の代名詞となり、Sodomite（もともとは「ソドムの住人」）は「男色者、獣姦者」を意味するようになりました。さらにそこから、sodomize「男色にふける」、sodomy「アナルセックス、男色行為、獣姦」という単語が派生しました。

また、Sodom and Gomorrahは「邪悪な町、（セックスやドラッグがはびこる）歓楽街」の代名詞となり、ニューヨークやハリウッド、ラスベガスはよく「現代のソドムとゴモラ」（modern-day Sodom and Gomorrah）と言われています。

brimstoneは「硫黄」を意味する古い英語で、聖書ではbrimstone and fireという順序ですが、英語のイディオムではfire and brimstoneの順で「地獄の責め苦」という意味でよく使われます。fire-and-brimstoneだと「熱狂的な、狂信的な、地獄の火を思い起こさせるような」という意味で、「悪いことをすると地獄に堕ちるぞ」と脅すような勢いのレトリックを形容するときによく使われます。

使い方

Tim Tebow coming to New York to play for the Jets is a little like Moses being recruited for the **Sodom & Gomorrah** Giants.

ティム・ティーボウがジェッツでプレーするためにニューヨークに来るのは、モーゼがソドムとゴモラを拠点にしたジャイアンツにリクルートされるようなものだ。

敬虔なクリスチャンのアメフト選手であるティーボウが、ニューヨーク・ジェッツに移籍したときの新聞記事です。

He's reluctant to look back for fear of **turning into a pillar of salt**.

彼は塩の柱になるのが怖いので振り向きたくないのだ。

２００８年の大統領選キャンペーン中はテロ対策などに関してオープンな政府を約束していたオバマ氏が、大統領になったら情報公開を拒んでいることを批判した新聞の記事です。過去を振り返って昔の公約を見ると塩の柱になってしまうという部分は、聖書を知って初めて意味がわかる表現ですよね。

Hillary Clinton has faced the **fire and brimstone** but she is still standing strong.
ヒラリー・クリントンは地獄の責め苦を味わったが、まだしっかりがんばっている。

「燃えるしば」は「天啓」を表す　*burning bush*

「燃えるしば」とは何でしょう？　これは出エジプト記に出てきます。

エジプトに住み着いたヘブル人の人口は増え続け、それに歯止めをかけようとしたエジプト王のファラオはヘブル人の男の赤ん坊は皆ナイル川に投げ込めと命じます。が、その後、イスラエルの民（ヘブル人）であるレビ族の女性が男の赤ちゃんを産み、その子をかごに入れてナイルの岸の葦の中に置きます。この赤ちゃんはエジプト王の娘に拾われ、モーゼと名付けられて彼女の子どもとして育てられ、大人になります。

でもあるとき、奴隷として重労働を強いられているヘブル人に体罰を加えているエジプト人を見たモーゼは、怒りに駆られてエジプト人を殺害してしまいます。ファラオは罰としてモーゼを殺そうとしたので、モーゼはミデヤンの地に逃れ、そこでミデヤンの祭司の娘と結婚します。

ある日、モーゼは妻の父が飼っている羊の群れを連れて、荒野の奥にある神の山、ホレブに行きます。

すると主の天使がしば（低木）の中の炎から彼のところに現れた。モーゼがしばを見たが、しばは燃えているのに焼けて消滅することはなかった。

And the angel of the LORD appeared unto him in a flame of fire out of the midst of a bush: and he looked, and, behold, the bush burned with fire, and the bush was not consumed.

しばは、低木を指します。この後、燃えるしばの中から神の声が響き、神はモーゼに「あなたをパロにつかわし、私の民、イスラエルの人々をエジプトから導き出させよう」と言います。ここから、burning bushが「啓示、天啓の源、奇跡的なもの」という意味で使われるようになりました。

使い方

Steve Jobs had his **burning bush** moment and the rest is history.

スティーヴ・ジョブスは燃えるしばの瞬間（天啓を授かったというような瞬間）を体験し、後はみなが知っているとおりの展開になった。

Evangelicals thought that President Bush was a **burning bush**. They really believed he would lead the Middle East into a bright future.

福音主義者たちはブッシュ大統領が燃えるしば（奇跡的な人物、天啓を与えられた人）だと思っていた。彼らはブッシュが中東を明るい未来に導いてくれると本気で信じていた。

ブッシュ大統領は、聖書の記述がすべて真実だと信じている人たちから非常に高い人気を誇っていて、しかもBushという名前なので、邪悪の象徴であるバビロンがあったイラクを攻撃したとき、彼はよくa burning bushにたとえられていました。

乳と蜜が流れる地はどこのこと? *land flowing with milk and honey*

「豊かな国、肥沃な土地、何不自由なく楽に暮らせる場所」という意味でよく使われるこの表現は、前記のすぐあとに出てきます。燃えるしばの中から響く神の声が、モーゼにこう言います。

私は下って、彼ら（イスラエルの民）をエジプト人の手から救い出し、かの地から良き広い地、乳と蜜が流れる地へと導く。

And I am come down to deliver them out of the hand of the Egyptians, and to bring them up out of that land unto a good land and a large, unto a land flowing with milk and honey.

神がイスラエルの民に約束した地は、乳と蜜が流れている、つまり肥沃で物資が溢れるほどある豊かな土地、ということです。

現代英語では、milk and honeyの部分を他の言葉に入れ替えたパロディ的な表現もよく使われます。

使い方

Why do illegals come to America? Because they believe America is a **land flowing with milk and honey**.

不法移民たちはなぜアメリカに来るのか？　それは、彼らはアメリカが物質的に非常に豊かな国だと信じているからだ。

Dubai is the **land flowing with oil and money**.

ドバイは石油とマネーが溢れている国だ。

I want to say to you, Chairman Arafat, the leader of the Palestinians: Together, we should not let the **land flowing with milk and honey** become a **land flowing with blood and tears**.

パレスチナ人のリーダー、アラファト議長、あなたに申し上げさせていただきます。乳と蜜の流れるこの地が、血と涙が流れる地になることを一緒に阻止しなくてはなりません。

これは１９９５年、クリントン大統領の働きかけで成立した暫定自治拡大合意（オスロ合意）の調印式でイスラエルのラビン首相が言った名言です。聖書を知っていると、イスラエルの民に約束されたこの地でなんとか平和に共存したい、というラビン首相の悲願の思いが痛いほど伝わってきますよね。

聖書規模の大災難とは　*a plague of Biblical proportion*

これは聖書に出てくる表現ではありませんが、非常によく使われるフレーズなのでぜひ覚えておいてください。元になっているのは出エジプト記の記述です。

モーゼを通じて、神がエジプトのファラオにイスラエルの民を解放するように命じたのに、ファラオはそれに従いませんでした。

そのため、エジプトの国は、水が血になる、カエル・ブヨ・ハエの大群に襲われる、全家畜が疫病で死ぬ、うみの出る腫れ物ができる、ひょうに打たれる、イナゴの大群に襲われる、３日間暗闇になる、初子が死ぬ、という10個の災難に襲われます。

どれもエジプト中、エジプト人全員を襲う大規模で深刻な災難・災害だったので、大きな災難や災害のことをa plague of Biblical proportionと言うようになったのです。

使い方

AIDS is **a plague of Biblical proportion**. And it is claiming more lives in Africa than in all of the wars waging on the continent combined.

エイズは聖書規模の疫病です。アフリカ大陸で起きている全戦争の被害者総数より多くの命をアフリカで奪っています。

Crops in Australia threatened by locust **plague of Biblical proportion**

オーストラリアの穀物、聖書規模のイナゴの災害の脅威

2010年にオーストラリアがイナゴの大群に襲われたときのテレグラフ紙の見出しです。

十戒を知らずして英語について語るなかれ　*the ten commandments*

十戒（the Ten Commandments、あるいはthe Decalogue）は、神がイスラエルの民に示した戒律で、ユダヤ教・キリスト教を信じる人々にとっては絶対に守らなくてはならない掟です。映画ファンには、チャールトン・ヘストンがモーゼに扮した名画『十戒』でおなじみですよね。

聖書には数回登場しますが、ここでは出エジプト記の20章に出てくる記述を、英語圏で最もよく使われる多少簡略化したヴァージョンでご紹介しましょう。

1. 汝、私（話者は神）以外の神を崇めるなかれ。（多神教、他の神の否定）
Thou shalt have no other gods before me.

2. 汝、刻んだ像を造るなかれ。（偶像崇拝の禁止）
Thou shalt not make unto thee any graven image.

3. 汝、汝の神である主の名をみだりに唱えるなかれ。

Thou shalt not take the name of the Lord thy God in vain.

4. 安息日を忘れずに神聖なものとして守れ。
Remember the sabbath day, to keep it holy.

5. 汝の父母を敬え。
Honor thy father and thy mother.

6. 汝、殺すなかれ。
Thou shalt not kill.

7. 汝、姦淫するなかれ。
Thou shalt not commit adultery.

8. 汝、盗むなかれ。
Thou shalt not steal.

9. 汝、隣人について偽証するなかれ。
Thou shalt not bear false witness against thy neighbor.

10. 汝、隣人の家、妻、しもべ、（女性の）召使い、牛、ろばなどどんなものであろうと隣人のものをむさぼるなかれ。
Thou shalt not covet thy neighbor's house, thou shalt not covet thy neighbor's wife, nor his manservant, nor his maidservant, nor his ox, nor his ass, nor any thing that is thy

neighbor's.

thou shalt はyou shallを意味する古い英語で、covetは「人の物をむやみに切望する」というニュアンスです。

10個のうちの7つがThou shalt not … で始まるので、英語圏の人は Thou shalt not … と聞いただけでほとんど反射的に「とんでもない罪だから絶対に犯してはならない！」と思えてしまうのです。

２００２年、アラバマ州最高裁のロイ・ムーア首席判事が司法省の建物の敷地内に展示した十戒の石碑に対して、アラバマ州最高裁が「政教分離に違反する違憲行為である」という判決を下しました。このとき、さまざまな報道機関が十戒をもじった見出しでこのニュースを伝えていたので、特におもしろかったものをいくつかご紹介しましょう。

Thou Shalt Not Display the Ten Commandments
「汝、十戒を展示するなかれ」

Thou Shalt Not Promote One Religion over Another
「汝、１つの宗教のみを奨励するなかれ」

Thou shalt not mix religion with politics.

「汝、宗教と政治を混同するなかれ」

使い方

What happened to President Reagan's **Eleventh Commandment**: Thou shalt not speak ill of other Republicans?

「汝、他の共和党員の悪口を言うなかれ」というレーガン大統領の第11戒はどうなってしまったのか？

２０１２年の大統領予備選で、共和党候補たちが悪口を言い合っていたときに、コメンテイターたちがよく言っていた一言です。

目には目を、歯には歯を／（右の頬を打たれたら）もう一方の頬を差し出す

an eye for an eye, a tooth for a tooth / turn the other cheek

日本語でも有名なこの2つの教えは、マタイによる福音書5章に登場します。

「目には目を、歯には歯を」と書かれているとあなたがたは聞いている。しかし、私はあなたがたに言う。悪人に手向かうな。もし誰かがあなたの右の頬を打ったら、その者にもう一方の頬も向けなさい。

Ye have heard that it hath been said, An eye for an eye, and a tooth for a tooth:
But I say unto you, That ye resist not evil: but whosoever shall smite thee on thy right cheek, turn to him the other also.

イエスが引用しているのは、出エジプト記21章とレビ記24章に出てくる記述です。まず、出エジプト記の記述を見てみましょう。「目には目を」という同害報復の掟です。

命には命、目には目、歯には歯、手には手、足には足、やけどにはやけど、傷には傷、打ち

傷には打ち傷をもって償うべし。
Thou shalt give life for life, Eye for eye, tooth for tooth, hand for hand, foot for foot, Burning for burning, wound for wound, stripe for stripe.

次にレビ記を見てみましょう。

もし人が隣人に傷を負わせたら、その人は自分がしたことと同じことを自分にされなければならない。骨折には骨折、目には目、歯には歯をもって自分が負わせた傷と同じ傷を自分が負わせられなければならない。
And if a man cause a blemish in his neighbour; as he hath done, so shall it be done to him; Breach for breach, eye for eye, tooth for tooth: as he hath caused a blemish in a man, so shall it be done to him again.

現代英語ではan eye for an eye, a tooth for a toothは日本語の「目には目を、歯には歯を」とまったく同じ意味合いで使われていますが、元々は、「目を1つだけつぶされたのに報復として相手の両目をつぶすな」、つまり必要以上の報復をするな、という意味です。でも、イエスは同害報復の教えを徹底的に否定して、究極の平和主義を説いているわけです。

turn the other cheekは、現代英語では「侮辱を甘んじて受ける、屈辱を無視する、ひどいことをされても仕返ししない」という意味で使われています。

使い方

The Death Penalty, Beyond **Eye for an Eye**

死刑——目には目を、を超えて

強姦犯を死刑にすることができるルイジアナ州の法律に関するＣＢＳニュースの見出しです。聖書の元の意味を知っていると、殺人犯のみを死刑にする他の州と違い、同害報復を超えた罰を要求している、という意味がよく伝わってきますよね。

Lie for Lie, Truth for Truth; Murky Details and Contradictory Accounts Assure That Debate Will Go On

嘘には嘘、真実には真実を——細部が曖昧で詳細が食い違うので論争が長引く

ハイチの難民がＮＹＰＤ（ニューヨーク市警）に虐待された事件の裁判に関するニューヨーク・タイムズ紙の見出しです。

聖書を知っていると、最初の一言がan eye for an eye, a tooth for a toothのもじりで、「被告側と検事側の両者がそれぞれにとって都合のいい嘘と真実を言い合っている」という感じがよくわかりますよね。

He's more of a **turn-the-other-cheek** kind of guy.

彼（ティーボウ）は「右の頬を打たれたら左の頬も向ける」というタイプの男だ。

敬虔なクリスチャンのNFLスター、ティム・ティーボウがニューヨーク・ジェッツに移籍し、もう1人の花形クオーターバックのマーク・サンチェスとけんかなどせずにうまくやっている、という記事に出てきた一言です。

聖書を知っていると、たとえサンチェスに文句を言われても、ティーボウは聞き流している、という感じがよく伝わってきますよね。

ちなみに、大多数のキリスト教徒はturn the other cheekが単なる無抵抗主義を訴えた教えだと思っています（たぶん、これをお読みになっているみなさんもそうでしょう）。

でも、文化人類学者、歴史学者、社会学者、民俗学者といった、聖書を科学的に解明しようと務めている識者たちの間では、ちょっと違う見解が主流になっています。

イエスが活動していた時代、つまり、ほぼ2000年前のイスラエル地方では、身分の高い人々が奴隷や使用人などの身分の低い者たちを叱るときには手の甲で相手の頬を打ち、同じ身分の者どうしがけんかや言い争いをしたときは手の平で相手の頬を打っていました（日本でも、手の甲で相手の頬を打つと、なんか汚いものを払いのけているみたいで、相手を蔑んだ感じがしますよね？）。

で、当時の中東ではほとんどの人が右利きだったと思われるので、身分の高い人たちの多くも右手を使って人をぶっていた、と推測できます。

つまり、「右の頬を打つ」というのは「身分の高い者や抑圧者が右手の甲で身分の低い者の頬を打つ」という行為を意味しているわけです。

ですから、「右の頬を打たれたら左の頬を差し出せ」というのは、「自分を抑圧する人間に右手の甲で右頬をぶたれたら、左の頬を打ってくれと態度で示し、『少なくとも同じ身分の者どうしの対等な対立だ』ということを示唆して、圧制者に対して毅然とした態度で臨め」という意味に解釈すべきだ、ということなのです。報復はいけないが卑屈にはなるな、ってことですね。

欧米での黄金律とは *the golden rule*

これは、マタイとルカによる福音書に出てくる教えのことです。まず、マタイによる福音書7章を見てみましょう。56ページでご紹介した「求めよ、さらば与えられん」という名言の後に、イエスはこう言っています。

ゆえに、自分に対してして欲しいと望むことを、人々にしてあげなさい。

Therefore all things whatsoever ye would that men should do to you, do ye even so to them.

ルカによる福音書6章にはこう書いてあります。

自分に対してして欲しいと望むことと同じことを人々にしてあげなさい。

And as ye would that men should do to you, do ye also to them likewise.

この教えが「黄金律」（the golden rule）で、このフレーズは人生相談やテレビでの裁判番組（本物の裁判官が少額訴訟や隣人同士の言い争いなどを裁く番組）に頻繁に登場します。

使い方

Try to stick to **the Golden Rule**: Treat your colleagues how you would want to be treated.

黄金律を守るようにしなさい。自分が望む待遇を同僚にもほどこしなさい。

My point is, if another country does to us what we do to others, we're not going to like it very much. So I would say that maybe we ought to consider **a Golden Rule** in foreign policy: Don't do to other nations what we don't want them to do to us.

私が言いたいことは、我々が他の国に対してやっていることを他の国が我々にしたら、我々は気に入らないだろう、ということです。ですから、外交方針に黄金律を応用すべきじゃないか、と思うのです。他の国に我々に対してやってほしくないことを、他の国に対してやるな、ということですな。

これは、２０１１年の共和党の予備選のディベートで自由主義者のロン・ポール候補が言った名言です。

「ほふられる子羊」は「無知」と同義　*a lamb to the slaughter*

この一言は、イザヤ書が元になっています。イザヤ書53章に出てくる救世主に関する預言を見てみましょう。

> 彼（救世主）はしいたげられ、苦しめられたが、口を開かなかった（文句を言わず黙っていた）。ほふり場に引かれて行く子羊のように、また毛を切る者の前で黙っている羊のように、口を開かなかった。
>
> He was oppressed, and he was afflicted, yet he opened not his mouth: he is brought as a lamb to the slaughter, and as a sheep before her shearers is dumb, so he openeth not his mouth.

救世主イエスは殺されると知りながらも、従順に自分の定めに従い、文句を言わずに十字架にかけられたのですが、現代英語ではa lamb to the slaughterは「危険を察知していない人、無知、従順」という意味で使われます。

使い方

Obamacare was rammed through Congress. Nobody knew what was in it. We were led like **a lamb to the slaughter**.

オバマケアーは国会でごり押しされた。誰もその実態を知らなかった。我々は何も知らされないまま文句を言う機会も与えられずに危険な現状に連れてこられた。

聖書の記述を知っていると、反オバマケアー派が、オバマケアーは社会主義的な危険なものである、と感じていることがよくわかりますよね。

Susan Boyle is a psychological **lamb to the slaughter**.

スーザン・ボイルは心理的な面でほふり場に引かれていく子羊同然だ。

これは、スター誕生番組で一躍スターになった歌手のスーザン・ボイルがリポーターをどなりつけたときに、精神分析医の資格を持つ評論家が言った一言です。

プライバシーのないセレブの暮らしは楽じゃないということを知らないまま、従順な普通のおばさんから突然スターになったボイル氏。聖書を知っていると余計に同情してしまいますよね。

ヒョウは斑点を変えることができるか？　*Can a leopard change its spots?*

「本質的な性格や性質は変えられない」という意味で頻繁に使われるこの表現は、エレミヤ記13章に出てきます。

エチオピア人はその皮膚（の色）を、ヒョウはその斑点を変えることができるだろうか？
そんなことが可能なら、悪を行うことに慣れたあなたがたも善を行えるだろう。
Can the Ethiopian change his skin, or the leopard his spots? then may ye also do good, that are accustomed to do evil.

これは反語で、そんなことは不可能だから、悪を行うことに慣れた者たちに善は行えない、ということです（あなたがたとは、このコンテクストでは偶像崇拝などをしている不信心者たちのことです）。

日常会話やメディアでは「根本的な人間性や信条は変えられない」という意味でよく使われます。

使い方

Newt Gingrich says he's a changed man. But **does a leopard change its spots?**
ニュート・ギングリッチは昔とは別人になったと言っているが、ヒョウはその斑点を変えるだろうか？

A leopard never changes its spots. Obama may have changed his tactics but his approach to the situation in the Middle East is still worrying.
ヒョウは斑点を変えることはない。オバマは（イスラエルに対する）戦術は変えたかもしれないが、彼の中東情勢へのアプローチはまだ心配だ。

アメリカ史上、最も反イスラエルな大統領として知られるオバマ氏が、２０１１年に行った国連での演説でアンチ・イスラエルのレトリックをほんの少し弱めたときに、イスラエルのエティンガー元国連大使が言った一言です。

聖書の記述を知っていると、大使の発言から「オバマのアンチ・イスラエルの信条は変わっていず、大統領選を控えているのでユダヤ人票ほしさにイスラエル・バッシングのレトリックを弱めただけ」という真意が読み取れますよね。

あなたの隣人を愛し、敵も愛せ　*love your neighbor / love your enemy*

これは、マタイによる福音書5章に出てきます。イエスの言葉を見てみましょう。

「自分の隣人を愛し、自分の敵を憎め」という（旧約聖書の）教えをあなたがたは聞いています。しかし私はあなたがたに言います。あなたの敵を愛し、あなたを呪う者を祝福し、あなたを憎むものに善を施し、あなたを迫害する者のために祈りなさい。

Ye have heard that it hath been said, Thou shalt love thy neighbour, and hate thine enemy. But I say unto you, Love your enemies, bless them that curse you, do good to them that hate you, and pray for them which despitefully use you, and persecute you.

隣人を愛せ、というのは当然のことですが、敵も愛せ、というところが博愛を説くキリスト教ならではですよね。

使い方

I don't think they teach **"Love your neighbor"** at madrassa.
マドラサ（アラビア語で学校の意味）では「あなたの隣人を愛せ」とは教えていないでしょうね。

これは、ムバラク政権転覆後に誕生したエジプトの国会が「イスラエルは一番の敵」と公言したときに、アメリカのテレビのコメンテイターが言った一言です。

Love your enemies. It's the only way to peace in the Middle East.
あなたの敵を愛せ。これが中東和平への唯一の道です。

The Bible says to **"Love thy neighbor."** It doesn't say **"Love thy neighbor** as long as they are not gay."
聖書には「汝の隣人を愛せ」と書いてある。「隣人がゲイでない場合に限って汝の隣人を愛せ」とは書いてない。

こちらは、同性愛は罪だと思っている保守派キリスト教徒を批判するときに頻繁に使われています。

ちなみに、２００５年に温厚なヨハネ・パウロ２世が亡くなった後、ヨーゼフ・ラッツィンガー氏がベネディクト16世として新ローマ法王になりました。この後、宗教専門チャンネルでは新法王に関する討論会が連日連夜放送されていました。

元ナチスの青年隊のメンバーで、「ユダヤ人をカトリックに改宗させたい」、「ガリレオの裁判は正当なものだった」などのコメントで有名な新法王は、徹底的なアンチ・ゲイであることでも知られています。そのため、カトリック教会がリベラルになることを望んでいたパネリストの１人が、同性愛者に対して寛容でない新法王を批判してこう言っていました。

He's obviously NEVER had a gay neighbor.

この発言、日本語に直訳すると「彼は明らかに隣人に同性愛者がいたためしがないってことですね」となり、「だから同性愛者がどんな人間なのか実態をまったく知らないのだろう」という意味だと思われるでしょう。

でも、聖書の記述を知っていれば、この発言に「新法王はキリスト教の最も重要な教えである博愛の精神に欠けているのでは?」という強烈な非難が込められていることがわかりますよね。

良きサマリア人は誰のこと？　*a good Samaritan*

これは誰のことを指すのでしょうか？　ルカによる福音書の10章に出てくる話を見てみましょう。イエスが「汝の隣人を愛せ」という有名な教えを説いた後に、小賢しい律法学者に「隣人とはどういう人のことか？」と尋ねられ、その質問に答えるべく紹介した逸話です。

ある男がエルサレムからエリコに行く途中、強盗が彼を襲い、衣服を剥ぎ取り、傷を負わせ、半殺しにして置き去りにします。

この後、祭司（ユダヤ教の高僧）とレビ族の人間（ユダヤの神殿で祭司を補佐した一族）が通りかかりますが、2人とも傷ついた男を無視し道の向こう側を通って行ってしまいます。

でも、そこにユダヤ人の中で地位が低く、他のユダヤ人に相手にしてもらえないサマリア地方の人がやって来ます。

しかし、あるサマリア人が旅の途中、この男のところを通りかかり、彼を見て同情した。

But a certain Samaritan, as he journeyed, came where he was: and when he saw him, he had compassion on him.

彼はオイルとワインを注いで傷を手当し、自分の家畜に乗せ宿に連れて行って介抱した。翌日2ディナールを宿の主人に渡し、「この人の面倒をみてやってください。費用がこれ以上かかったら、帰りがけに私が支払います」と言った。

この話をした後、イエスは本当の隣人とはユダヤ人（ユダヤ教徒）の中で高い地位を保持している祭司でもレビ人でもなく、見下されているサマリア人であることを律法学者に悟らせ、「あなたも同じことをしなさい」と言うのです。

この逸話から、a good Samaritanが「たとえ見ず知らずの人でも、苦しんでいる人を見たら援助と同情を与える善人」を意味する言葉としてよく使われるようになりました。

交通事故を目撃したら救急車を呼ばなくてはならないとか、犯罪を目撃したら警察に通報しなくてはならないなどの法律は、俗にgood Samaritan lawsと呼ばれ、ヨーロッパではかなりの国々で、アメリカでもいくつかの州で施行されています。

使い方

Good Samaritan helps woman get iPhone back from thief at Metro station

良きサマリア人が地下鉄の駅で女性が泥棒からiPhoneを奪い返すのを助ける

ワシントンの地下鉄駅員が、女性からiPhoneを奪った泥棒を追いかけてiPhoneを奪還したときのローカル・ニュースの見出しです。

ちなみに、ブッシュ氏は大統領就任演説で「エリコへ向かう途中の傷ついた旅人に会ったら、我々は道の向こう側を通って（彼を置き去りにして）行くことはありません」（When we see that wounded traveler on the road to Jericho, we will not pass to the other side.）と言っていました。

聖書を知っていれば、この一言が「アメリカ人みんなが苦しんでいる人々を助けるgood Samaritanになるのだ」という意味だとわかりますよね。

ではペリシテ人は？ *Philistine*

ペリシテ人はユダヤ人の宿敵で、ガザなどのカナン（現在のイスラエル、パレスチナ、レバノン南部）の海岸線の都市を支配していました。聖書の登場人物の中で最も有名なのはダビデとサムソンですが、その敵であるゴリアテとデリラがペリシテ人だったことから、「残忍な敵」の代名詞となっています。

また、ペリシテ人は多神教徒で、偶像崇拝者だったので、一神教の非偶像崇拝者の目には「野蛮人、教養がない人、非文化人、俗物」に見えたのです。

ここから、英語ではphilistine/Philistineは、「無教養な人、俗物、実利主義者」という意味でも使われています。

使い方

Call me a **philistine** but I just don't get this movie/play/book/opera.

野暮な人間と言われるだろうが、私にはこの映画／劇／本／オペラがわからない。

書評、映画や演劇などのレビューで、評者が作品の良さを理解できなかったときによく使われます。

Unlike the Kennedys, the Obamas are **philistines**, but Hollywood still loves them.

ケネディ一族と異なり、オバマ家は俗物だが、それでもハリウッド（のスターたち）から愛されている。

聖書の人気者、サムソン（とデリラ） *Samson and Delilah*

これは英語圏で「聖書の登場人物の中で一番の人気者」とよく言われるサムソンの話で、士師記16章に出てきます。

サムソンは、イスラエルの民を支配していたペリシテ人に立ち向かったイスラエルの英雄で、ライオンを素手で倒すほどの強靭な人物。

彼の力の秘密は、生まれてから一度も切ったことのない髪の毛にありましたが、ペリシテ人に買収された美女デリラの誘惑に負けてその秘密をもらし、眠っている間に彼女に髪を切られて力を失います。そしてユダヤ人の敵であるペリシテ人に捕まって目をえぐり取られてしまいます。

それでも彼は最後の力を振り絞って、異教の神を祭るペリシテ人たちの神殿を破壊し、自らも死んでしまうんですよね。

サムソンがデリラに怪力の秘密を打ち明けるシーンを見てみましょう。

もし髪を剃り落とされたら、私の力は消え失せ、私は弱くなり、他の人と同じになってしまうだろう。

If I be shaven, then my strength will go from me, and I shall become weak, and be like any other man.

次に、髪を剃られた後、ペリシテ人に捕まるところの記述を見てみましょう。

ペリシテ人は彼を捕らえて両眼をえぐり、ガザに連れて行って、青銅の足かせをかけて彼を拘束し、彼は牢屋の中で臼を引いていた。

The Philistines took him, and put out his eyes, and brought him down to Gaza, and bound him with fetters of brass; and he did grind in the prison house.

この後、3000人のペリシテ人が集まった祭りの席に余興として呼び出されたサムソンは、神殿の柱に手をかけて倒します。神殿はその中にいたペリシテ人の首長たちとすべての民の上に倒れました（the house fell upon the lords, and upon all the people that were therein.）。

この話から、欧米でサムソンといえば「怪力男」、また「髪を切られて力を失った男」の代名詞で、デリラは「裏切り者」、「男を誘惑する危険な女」の代名詞になり、力持ちの男性にサムソンというニックネームがつけられたり、男を騙す女は「現代のデリラ」（a modern day Delilah）と呼ばれたりするわけです。

で、bring the house downは「拍手喝采を浴びる」という意味なので、サムソンはよく冗談っぽく「聖書の登場人物の中で一番の人気者」と言われているのです。

使い方……………………

It seemed Stanton's name change sapped his power, much like **Samson** chopping off his hair.

スタントンの改名は、サムソンが髪を切ったのと同じように彼のパワーを徐々に奪ってしまったようだ。

マイアミ・マーリンズのスタントン選手がファースト・ネームをマイクからジアンカルロに変更した後、打率が悪くなったことに関する記事です。

Palin, more like **Delilah,** seems destined to sap what little strength the GOP has left to do battle this November.

ペイリンは、デリラと同じように、11月に戦うために共和党に残されたわずかな力を搾り取ることになりそうだ。

2012年の共和党大会でサラ・ペイリンが重要な役割を果たすことになると、ロムニー候補の影がさらに薄くなってしまうことを示唆した記事です。

聖書を知っていると、美貌とカリスマ性を悪用して、ペイリンが共和党大会を自分の人気取りのために濫用し、スポットライトを奪い、ロムニーを裏切る、という意味合いを読み取れますよね。

聖書にもある「おごれる者は久しからず」　*pride goes before the/a fall*

尊大な人が過ちを犯したときなどによく使われるこの表現は、箴言16章が元になっています。

高ぶりは滅びに先立ち、誇る心は崩壊に先立つ。

Pride goeth before destruction, and an haughty spirit before a fall.

現代英語ではpride goes before the/a fallという形で「おごれる者は久しからず」という意味でよく使われます。特にメディアでは政界、スポーツ界、芸能界などで偉ぶっていた人が失脚したときに必ずと言っていいほど使われています。

使い方

Arnold Schwarzenegger and Proverbs: **"Pride goes before the fall."**
アーノルド・シュワルツェネッガーと箴言　「高ぶりは失脚に先立つ」

これは、隠し子スキャンダルでシュワちゃんの名声が地に堕ちた後にワシントンポスト紙に載った記事の見出しです。

Pride goes before a fall: Irreparably damaged, Gov. Eliot Spitzer must resign.
おごれる者は倒れる　修復不能なダメージを受けたエリオット・スピッツァー州知事は辞任すべき。

こちらは、２００８年当時、民主党の大統領候補になるのではとまで言われていたスピッツァー・ニューヨーク州知事が売春婦を買ったことがバレたときの、ニュースデイ紙の記事です。

どちらも、この一言の語源が聖書だと知っていると、fall（倒れる、落ちる）の後に改心しないと地獄に堕ちることが目に見えているので、おごりに対する戒めをよりしっかりと読み取ることができるでしょう。

山上／丘の上の説教　*sermon on the mount/hill*

イエスがガリラヤ湖を見下ろす丘で群衆を前に行った説教のことで、マタイによる福音書の5章、6章、7章に詳しく記されています。

「心の貧しい者は幸いである。天国は彼らのものだからだ」(Blessed are the poor in spirit: for theirs is the kingdom of heaven.) とか、「自分が裁かれないようにするために、人を裁くな」(Judge not, that ye be not judged.) などの、引用頻度が非常に高い有名な教えがたくさん詰まったお説教です。

そのため、sermon on the mount/hill は「究極のお説教、お説教っぽい演説、イエスの説教に匹敵する名演説／感動的な教え」という意味で、よく使われます。

使い方

Lady Gaga's "Born This Way" is her **"sermon on the mount."**

レディ・ガガの曲、「ボーン・ディス・ウェイ」は彼女の「山上の説教」だ。

Dozens of Republican House members looking for a promising presidential hopeful flocked to the nearby Capitol Hill Club, seeking a **sermon on the Hill** from Fred Thompson.

有望な大統領候補を模索している数十人の共和党下院議員が、フレッド・トンプソンのヒル（丘）の上での説教を求めて、近くにあるキャピトル・ヒル・クラブに集まった。

２００８年の大統領選で、元共和党上院議員で俳優のトンプソン氏に期待がかけられていたときの記事です。俳優のトンプソン氏は演説がうまく、アメリカの連邦議会がキャピトル・ヒル（Capitol Hill）という丘の上にあるので、トンプソン氏の演説は支持者にとってはまさにsermon on the Hillだったわけです。

与え、奪い去る強大な権威　… *giveth, … taketh away*

所有物や大切なものを失ったときや、人やペットが死んだときによく使われるこの表現は、ヨブ記１章に由来します。

神の忠実な僕ヨブは全財産を失い、さらに、子ども全員とほとんどの使用人を殺された後も決して神に文句を言ったりせずに、こう言います。

私は裸で母の子宮から出てきた、そして裸でかの地へと戻って行くのです――主が与え、主が奪われた。主の御名を称えよ。

Naked came I out of my mother's womb, and naked shall I return thither: The LORD gave, and the LORD hath taken away; blessed be the name of the LORD.

ヨブは自分の身に起きた不幸に関して「神がその御心のままに与え奪ったのだから仕方ない」と言っているだけですが、メディアや日常会話では「主は与え、そして奪う」（The Lord giveth, the Lord taketh away.）と、一般論として使われます。また、the Lordの部分に別の名詞を入れて使われることも非常に多いです。

使い方

The network **giveth**, the network **taketh** away.

テレビは与え、そして奪うのです。

これは２００４年の大統領選で、多くのテレビ局がフロリダ州でアル・ゴアが勝ったと発表した数時間後に、ブッシュが勝ったと訂正したとき、ＮＢＣニュースのアンカーだったトム・ブロコウが言った一言です。

… giveth, … taketh awayという言い回しを聞いただけで、英語圏の人は反射的に「……は絶対的な存在（だから何をされても仕方がない）」と感じ取るので、ブロコウのこの一言は、選挙の行方、そして政治の行方を報道するテレビというメディアの強大な影響力を如実に物語る名言と言えるのです。

California **giveth**, the Hight Court **taketh** away

カリフォルニアは与え、最高裁は奪い去る

カリフォルニア州が合法化した「医薬品としてのマリファナ」（medical marijuana）を合衆国最高裁が違憲としたときに、リポーターやアナリストがよくこう言っていました。

荒野で叫ぶ声は何を言っているのか　*voice (crying) in the wilderness*

これはマタイ、マルコ、ルカ、ヨハネによる福音書に記されている洗礼者ヨハネの一言が元になっています。前後関係が最もわかりやすいヨハネによる福音書1章をご紹介しましょう。

神から遣わされたヨハネは自分が何者なのかに関して、「私はキリスト（救世主）ではない」と言った後、こう説明しています。

私は預言者イザヤが言ったように、主の道をまっすぐにせよ、と荒野で呼ぶ者の声です。

I am the voice of one crying in the wilderness, Make straight the way of the Lord, as said the prophet Esaias.

ヨハネが引用しているのは、イザヤ書40章の「荒野に主の道を整え、我々の神のために砂漠にまっすぐな道を造れ」という一節です。

ヨハネはイエスが人気を得るかなり前から荒れ野で「悪に背を向けて改心せよ」と叫んで説教をしていたので、voice in the wildernessは「孤軍奮闘して真実や正義を訴える声」の意味でよく使われます。

使い方

Paul Ryan is the lone **voice in the wilderness** of Washington.

ポール・ライアンはワシントンという荒野の孤独な声だ。

予算の大幅削減や節約によって赤字増加を食い止めようとしているライアン議員の提案はことごとく無視されているのですが、これに関するアナリストのコメントです。

聖書を知っていると、ライアン議員が何を言おうが米政府は聞く耳を持たない、という言外の意味をしっかり読み取れますよね。

第3章

映画の隠れたテーマ、実は…

～銀幕には聖書のテーマがてんこ盛り

ハリウッドには宗教を小馬鹿にしているリベラルな人が圧倒的に多いのですが、それでも映画のセリフには聖書の引用が頻繁に登場します。

ネイティブ感覚で映画を味わうためには、やっぱり聖書は必読書、と言えそうですね。

創世記

「光よ、在れ」は人気のフレーズ『007／ダイ・アナザー・デイ』

Die Another Day

あらすじ――北朝鮮で任務遂行中に捕らえられてしまったジェームズ・ボンド。約1年後、捕虜交換で自由の身となるが、諜報部員の資格を剥奪されてしまう。汚名を返上すべく、ボンドは自分と交換に自由になった殺し屋ザオの行方を探すが、その間に事件の裏にはダイヤモンド王のグスタフがいると感づく。グスタフを追ううちに、世界征服の恐るべき計画が明らかになる。

ピアース・ブロズナンがジェームズ・ボンドを演じたこの作品では、悪者のグスタフが人工太陽、イカルスを披露するときに、こう言っています。

光よ、在れ！　イカルスをご紹介しよう。

Let there be light! I give you Icarus.

出典を知っていると、グスタフがまさに自分が神になったつもりでいることがよくわかりますよね。ここで創世記1章の1節から5節までを見てみましょう。

初めに神は天と地を創造した。
In the beginning God created the heaven and the earth.
地は形が無く、空しく、淵の表面は暗闇で覆われ、神の霊が水面を浮遊していた。
神が、光よ、在れ、と言うと、光が存在した。
God said, Let there be light: and there was light.
神はその光を見て良しとした。神は光と闇を分けた。
神は光を昼と名付け、闇を夜と名付けた。夕方になり、朝になり、これが第1日だった。

この後、神は2日目には天（空）、3日目に陸と海と植物、4日目は季節と星、5日目には鳥と水中に生息する動物を創造し、6日目にはついに人間を創造するわけです。
また、トビー・マグワイアーが主演した『スパイダーマン』では、ベンおじさんが部屋の電球を換えるシーンでこう言っています。

そして主は言った。「光よ、在れ」

And the Lord said, "Let there be light."

切れた電球を新しいものと替えただけなのに、天地を創造した神の言葉を引用してしまう仰々しさが笑えますよね！

SF版の創世記『ブレードランナー』 *Blade Runner*

あらすじ――２０１９年、人類はレプリカント（人造人間）を造り出し、奴隷として宇宙での危険な労働に従事させていた。反逆するレプリカントを抹殺するのがブレードランナーと呼ばれる刑事たち。一流のブレードランナーであるデッカード（ハリソン・フォード）は、地球に侵入したレプリカント４名を見つけ出す任務につく。

近未来を描いたＳＦ映画の古典とも言えるこの映画は、聖書（特に創世記）を知っていると納得がいきます。

まず、タイレル社（Tyrell）が人間の姿に似せてレプリカント（人造人間）を造ったという設定が、神が自分の姿に似せて人間を創造したくだりに似ています。

そして、レプリカントが自分たちは奴隷だと知って反乱を起こし、その多くが始末されるというプロットは、アダムとイヴが善悪を知ってエデンの園から追放され、土に還る宿命を背負ってしまうといういきさつに似ています。

ナイトクラブのシーンにも、聖書を知っていると味わい深いセリフが出てきます。ショーが始まる前に流れるアナウンスを見てみましょう。

> さて皆様、ミス・サロメのスネーク・ショーです。人間を誘惑して堕落させた蛇から彼女は快楽を引き出します。
>
> Ladies and gentlemen, Taffey Lewis presents Miss Salome and the Snake. Watch her take the pleasures from the serpent that once corrupted man.

「サロメ」はレプリカントのゾラ（Zhora）が使っている芸名です。蛇、女、サロメに関する聖書の記述をおさらいしましょう。

神は、自分の姿に似せて人を創造した後、エデンの園に人を置き、「善悪を知る木から取って食べるな。食べると必ず死ぬ」と警告し、人（男、アダム）のあばら骨を1つ取ってそこから女（イヴ）を造ります。

男と女は2人とも裸でしたが、恥ずかしいとは思わず、エデンの園で何不自由なく暮らしていましたが、そこに蛇がやってきて女を誘惑します。女は蛇の誘惑に負けて実を食べ、夫にも与えると2人の目が開き、裸であることを知ってイチジクの葉をつないで腰に巻きます。

この後、女が蛇にそそのかされたせいで女も男も禁断の果実を食べたことを神は知り、蛇にこう言います。

おまえはこういうことをしたので、すべての家畜、野のすべての獣のうち一番呪われ、腹で這いずり、一生ちりを食べるのだ。

Because thou hast done this, thou art cursed above all cattle, and above every beast of the field; upon thy belly shalt thou go, and dust shalt thou eat all the days of thy life.

また、58ページでもご紹介したとおり、マタイによる福音書にはサロメが預言者ヨハネの首を要求する記述が出てきます。

蛇＝「人を悪事へと駆り立てる狡猾な存在」、女＝「邪悪な者の誘惑に負け他人をも邪悪へと誘う者」、サロメ＝「人をそそのかして邪悪なことをさせる者」、という聖書の設定を知っていると、このアナウンスを深く味わうことができますよね。

『ブレードランナー』が欧米で根強い人気を誇っているのは、こういった聖書との類似点がキリスト教徒の心にごく自然にアピールするからなんです。

この作品は、まさに近未来ＳＦの創世記。その後の近未来ＳＦ（『ＡＩ』『ガタカ』『シックス・デイ』など）はこの映画に似せて作られているので、聖書が引用されたり聖書がモチーフになったりしているのです。

出エジプト記、十戒

アークに納められているものは？『レイダース／失われたアーク〈聖櫃〉』

Raiders of the Lost Ark

あらすじ――第２次大戦直前、ナチスは伝説的なアーク（聖櫃《せいひつ》）の行方を追っていた。それを阻止するためにアメリカ側が送り込んだのが考古学者のインディアナ・ジョーンズ教授（ハリソン・フォード）。息をもつかせぬ両者の冒険がエジプトで繰り広げられる。

原題はRaiders of the Lost Ark（失われたアークの盗賊たち）で、アークとは十戒を刻んだ石板が収納された「聖櫃」のことです。

この作品でインディアナ・ジョーンズがアークと十戒に関してこう言っています。

そう、十戒の実物だ。モーゼがホレブ山から持ち帰って、打ち砕いたオリジナルの石板だよ。そういう話を信じているなら、ということだけど。あなたがたの中に日曜学校に行ったことがある人はいるかな？　ヘブライ人たちは石板の破片をアークの中に入れて、カナンに定住したときにソロモンの神殿と呼ばれる場所にアークを納めた。アークは何年もそこにあったんだけど、ある日、突然、紛失してしまったんだ。

Yes, the actual Ten Commandments. The original stone tablets that Moses brought down out of Mount Horeb and smashed, if you believe in that sort of thing. Any of you guys ever go to Sunday school? Look, the Hebrews took the broken pieces and put them in the Ark. When they settled in Canaan, they put the Ark in a place called The Temple of Solomon, where it stayed for many years, until all of a sudden ... whoosh, it was gone.

考古学者インディアナ・ジョーンズのこのセリフを検証してみましょう。

モーゼは、シナイ山（別名ホレブ山）で十戒が刻まれた石板を神から授かります。この石板を持って山を降りると、彼のことを待ちくたびれたイスラエルの民たちが黄金の子牛の象を作って踊りながら偶像崇拝をしていたので、モーゼは怒って石板を打ち砕いてしまいます。

この部分について記した出エジプト記32章19節を見てみましょう。

モーゼは宿営に近づき、子牛と踊りを見たので、彼は怒りに燃えて手から石板を投げ捨て、山の麓で石板を砕いた。

And it came to pass, as soon as he came nigh unto the camp, that he saw the calf, and the dancing: and Moses' anger waxed hot, and he cast the tables out of his hands, and brake them beneath the mount.

モーゼが石板を砕いたことは、確かですよね。でも聖書には、その後、新しい石板が与えられたと書いてあります。それについて、申命記10章1～5節を見てみましょう。

主は私に言った。「以前のように石板2枚を切り取って作り、山に登って私のもとに来なさい。また木の箱を1つ作りなさい。おまえが砕いた2枚の石板に書いてあった言葉を、私はその石板に書こう。おまえはそれをその箱に納めなさい」そこで私はアカシヤの木で箱を作り、前のように石板を2枚切り取って作り、石板を手に山に登った。

すると、主はかつて集会の日に山で火の中からあなたがたに告げた十戒を書いたのと同じように、十戒を石板に書き記し、私に授けてくださった。

And he wrote on the tables, according to the first writing, the ten commandments, which the

Lord spake unto you in the mount out of the midst of the fire in the day of the assembly: and the Lord gave them unto me.

そして私は山を下り、主が私に命じたとおりに、私が作った箱に石板を納め、石板は今もその中にある。

聖書にはこう書いてありますが、現在、アークは行方不明になっています。考古学者や神学者の中には、ソロモンの神殿の跡地に建てられたアル・アクサ・モスクの地下にアークが隠されていると信じている人も少なくありません。ですから、イスラム教徒とユダヤ教徒の仲が悪いのもうなずけますよね。

というわけで、インディアナ・ジョーンズ教授の言葉は、モーゼが石板を砕いたことと、アークが行方不明になっているのは事実なのですが、アークに納められているのが石板の破片だという部分は間違っています。ハリウッドの脚本家たちはもっと聖書を勉強すべきですよね！

サムエル記

『告発のとき』の原題は多くを物語る　*In the Valley of Elah*

あらすじ――イラクから帰還した息子が隊を脱走したとの知らせを受け、退役軍人のハンク（トミー・リー・ジョーンズ）は現地へ向かい、地元警察のサンダース刑事（シャーリーズ・セロン）と捜索を開始する。しかし、そこには恐ろしい真実が待ち受けていた。

この映画の原題はIn the Valley of Elah「エラの谷で」です。聖書に出てくるthe Valley of Elahは、イスラエル人の少年ダビデ（デイヴィッド）がペリシテ人の巨人戦士ゴリアテ（ゴライアス）を石弓（縄に石を絡ませ、縄を回して石を投げる器具）で殺した場所です。ですから、キリスト教徒はIn the Valley of Elahと聞いただけで、強大な邪悪に立ち向かうヒーローの姿を連想します。

ハンクがサンダース刑事の子どもデイヴィッド（David）に、彼の名前が旧約聖書に出てくる英雄に由来すると話すシーンを見てみましょう。ハンクは、まずこう言っています。

イスラエルとペリシテの2大軍団が集結した。両軍はエラの谷をはさみ、丘に陣取った。
There were two great armies assembled, the Israelites and the Philistines. They were both up on the hills, the Valley of Elah in between.

そして、イスラエルの少年デイヴィッド（ダビデ、David）がペリシテの巨人ゴライアス（ゴリアテ、Goliath）を石弓で撃ち殺した話を始めます。

デイヴィッドはまず自分の恐怖と戦わなければならなかった。それを克服できればゴライアスに勝てる。ゴライアスが駆け寄って来たとき、デイヴィッドは踏ん張って狙いを定めて機会を待った。どれほどの勇気が必要かわかるか？　数歩読み違えたらゴライアスに潰されてしまうんだぞ。で、彼は石を投げた。これが怪物との戦い方だ。近くまで引き寄せ、敵の目をしっかり見て打ちのめすんだ。
The first thing David had to fight was his own fear. He beat that, he beat Goliath. Because when Goliath came running, David just planted his feet, took aim and waited. You know how much courage that took? Just a few more steps and Goliath would've crushed him. Then he let fly with that rock. That's how you fight monsters. You lure them in close to you, you look them in the eye, you smack them down.

この話はサムエル記上17章に出てきます。ゴリアテ登場の場面を見てみましょう。

ペリシテ人の陣からガテのゴリアテという名の戦いを挑む者が出てきた。身の丈は6キュビット半（約３メートル）。

ゴリアテは「青銅のかぶとをかぶり、重さ５０００シケル（約57キロ）の青銅の鎧を身につけ、脚には青銅のすね当てをつけ、肩には青銅の投げ槍を背負っていた。槍の柄は機《はた》の巻棒の如く太く、槍の穂の鉄は６００シケル（約７キロ）」でした。
で、イスラエルの民に向かって「１人を選び、その者が私を負かしたら我々はおまえたちの奴隷になろう」と叫びます。
イスラエルの代表として選ばれたのは、ダビデという羊飼いの少年で、彼はイスラエル王サウルに、羊飼いは熊や獅子と戦って羊を取り戻すと説明し、こう言います。

獅子の手、熊の手から私を守ってくださった主は、あのペリシテ人の手からも私を守ってくれるでしょう。

そしてダビデは石弓で石を投げ、その石がゴリアテの額に命中し、ゴリアテはうつぶせに倒れたので、走り寄って、ゴリアテの剣で彼のクビを切り取ります。この様子を見たペリシテ軍は逃げ出しますが、イスラエル軍に追撃されて、みんな刺し殺されました。

ダビデとゴリアテ（David and Goliath）と呼ばれるこの逸話は、「小さい者・無力な人が、大きな者・巨大な組織に立ち向かう」という意味でよく使われるほか、「信仰や信念があれば小人も大きな弊害を乗り越えられる」という比喩でも使われます。

聖書を知っていれば、タイトルから主人公（ハンクと彼の息子）が巨大な敵（米軍と戦争）に立ち向かう、という筋書きを読み取れますよね。

さりげなくダビデが出てくる『エリン・ブロコビッチ』 *Erin Brockovich*

あらすじ――実際にあった訴訟事件を題材にした作品。シングル・マザーのエリン（ジュリア・ロバーツ）は働いている法律事務所で不審なファイルを見つけ、それを調査していくうちに大企業が起こしている深刻な環境汚染の実態を突き止める。住民とともに、勝ち目のない訴訟にエリンは臨むのであった。

貧しい住民が大企業を相手に訴訟を起こすというこの物語で、住民側の弁護士のアシスタントを勧めるエリンが、大企業の弁護団と渡り合わなくてはならない状況を、こう表現しています。

デイヴィッドとなんとかって感じよね。

Kind of like David and what's-his-name.

これも、聖書を知っていると、「小さな法律事務所が巨大組織に立ち向かう、正義を信じたエリン・ブロコビッチが大企業に挑戦して勝利を収める」という筋書きが見えてきますよね。

『アニー・ホール』の中のダビデは…　*Annie Hall*

あらすじ——ニューヨークを舞台に、1組の男女の出会いと別れをコミカルに描いたラブ・ストーリー。コメディアンのアルヴィー（ウディ・アレン）は美女アニー（ダイアン・キートン）と恋に落ち、同棲し始める。が、次第に相手のあらが見えてきて…。

ウディ・アレンのこの作品では、ダビデとバテシバ（41ページ）のたとえが出てきます。

アルヴィーは、恋人のアニーが、彼女のロシア文学の教授デイヴィッドと浮気をしていると勘ぐります。そのやりとりを見てみましょう。

アニー　デイヴィッドのことを話して以来、あなたはずっと彼に敵意を抱いてたわよね。
アルヴィー　デイヴィ…先生のことをデイヴィッドと呼んでるのか？
アニー　彼の名前だから（そう呼んで当然でしょ）。
アルヴィー　聖書に由来する名前だろ？　彼は君を何て呼んでるんだ？　バテシバか？

Annie: You've always had hostility towards David, ever since I mentioned him.
Alvy: Dav–you call your teacher David?
Annie: It's his name.
Alvy: It's a Biblical name, right? What does he call you, Bathsheba?

このやりとりは聖書を知らないとまったく理解できないでしょう。41ページでご紹介したように、David and Bathshebaは浮気の代名詞です。

ちなみにここに出てくるダビデは、すぐ前の項で説明したダビデとゴリアテに出てくる少年Davidが大人になったときの話です。

ウディ・アレンの名作にも登場するんですから、聖書の知識は英語圏の常識ですよね。

踊ることを神はどう思うか?――『フットルース』 *Footloose*

あらすじ――シカゴからアメリカ中西部の田舎町に引っ越してきた高校生のレン・マコーミック(ケヴィン・ベーコン)。しかし、この町ではダンスもロックも禁止されていた。レンは大人たちへの挑戦を始め、ダンス・パーティーを計画するのだった。

１９８４年のオリジナル版でも２０１１年のリメイク版でも、レンがダンスを禁じる法律の撤廃を要求する演説で聖書を引用しています。

オリジナル版のレンのスピーチを見てみましょう。

詩篇１４９篇に「主を称えよ、新しい歌を主に向かって歌え。踊りを捧げて主の名を賛美せよ」と書いてありませんか? そしてダビデ王は、サムエル記に出てくるダビデ王は何をしたと思いますか? 「主の前でダビデは力の限り踊った…主の前で飛び跳ねて踊っている」。「飛び跳ねて踊っている」と書いてあります。コヘレトの言葉は「天の下の出来事にはすべて定められた時がある」と我々に保証しています。「笑う時、泣く時、嘆く時、そして踊る時がある」と。この町の法律が適切だった時もあったでしょうが、もうその時ではなくなったのです。だからこそ、今は僕たちがダンスをする時なのです。それは僕たちが人生を祝う方法だからです。昔からずっとそうだったのですから、今こそダンスをして人生を祝うべきなのです。

Aren't we told in Psalm 149 "Praise you the Lord. Sing unto the Lord a new song. Let them praise His name in the dance"? It was King David—King David, who we read about in Samuel—and what did David do? What did David do? What did David do? "David danced before the Lord with all his might ... leaping and dancing before the Lord." Leaping and dancing. Ecclesiastes assures us ... that "there is a time for every purpose under heaven. A time to laugh ... and a time to weep. A time to mourn ... and there is a time to dance." And there was a time for this law, but not anymore. See, this is our time to dance. It is our way of celebrating life. It's the way it was in the beginning. It's the way it's always been. It's the way it should be now.

詩篇１４９篇１～３節には、実際にはこう記されています。

主を称えよ、新しい歌を主に向かって歌え。
Praise you the LORD. Sing unto the LORD a new song,

正しき人々の集いで賛美の歌を歌え。
イスラエルよ、その創造主を祝福し、
シオンの子らよ、王を称えて喜べ。
踊りを捧げて主の名を賛美せよ
Let them praise his name in the dance:
太鼓や竪琴を奏でて主を褒め称える歌を歌え。

サムエル記下6章では、十戒を納めた神の箱（the ark of God）をダビデの町に運んだときに、ダビデが喜ぶ様子が記されています。

そしてダビデは主の前で力の限り踊った。
And David danced before the Lord with all his might.

で、神の箱がダビデの町に運ばれてきたときに、サウルの娘のミカルが窓から外を見て、「主の前で飛び跳ねて踊るダビデを見て心の中で彼をさげすんだ」（and saw king David leaping and dancing before the Lord; and she despised him in her heart）のですが、「そのせいでサウルの娘ミカルは子どもを持つことのないまま死ぬ日を迎えた」（Therefore Michal the daughter of

Saul had no child unto the day of her death.）と記されています。

ダンスをさげすむ人には神の恵みが与えられなかった、というこのいきさつを知っていると、『フットルース』のスピーチの重みが増しますよね。

列王紀

「安息日」を理解できないと不可解な『炎のランナー』 *Chariots of Fire*

あらすじ——実話をベースに、１９２４年のパリ・オリンピックに出場した2人のイギリス人の青春を描いた物語。宣教師の父を持ち、その跡を継ぐつもりのエリック（イアン・チャールソン）は俊足に恵まれており、オリンピック出場を決めた。しかし、１００メートル走の予選が安息日の日曜に行われると知り、走れないと言い出してしまう。

この映画の原題は Chariots of Fire（炎の戦車）です。これは、列王記下2章と6章に出てくるフレーズが元になっています。2章では、弟子のエリシャと一緒に歩いていた預言者エリヤが神に召されるシーンで出てきます。

こうして彼らが話しながら歩いていると、見よ、火の戦車と火の馬が現れ、２人を分け、エリヤはつむじ風に連れられて天に昇って行った。
And it came to pass, as they still went on, and talked, that, behold, there appeared a chariot of fire, and horses of fire, and parted them both asunder; and Elijah went up by a whirlwind into heaven.

この後、エリシャはエリヤの預言能力を受け継ぎ、預言者としてイスラエルを敵軍から守ります。
６章ではイスラエルと戦っていたアラムの王がエリシャを殺すために軍勢を派遣します。敵の大軍を見て恐れた従者に対して、エリシャは「この者の目を開き、見えるようにしてください」と主に祈ります。この後の記述を見てみましょう。

すると主はこの若者の目を開き、彼は火の戦車と馬がエリシャを囲んで山に満ちているのを見た。
And the Lord opened the eyes of the young man; and he saw: and, behold, the mountain was full of horses and chariots of fire round about Elisha.

これらの記述から、a chariot of fire, chariots of fireは神の無限の力、神聖な力の比喩として使われるようになりました。

映画の中でも聖書がところどころで引用されています。まず、エリックが雨の中で行ったスピーチを見てみましょう。

> みんな自分の走り方で走りますが、レースを最後まで走りきる力はどこから来るのでしょうか？　内からですよ。イエスはこう言いました。神の国はあなたの中にある、と。心を込めて本当に私を求めれば、あなたはきっと私を見つけます、と言ったのです。キリストの愛に身をゆだねる、それがしっかりとレースを走り抜く秘訣です。
>
> Everyone runs in her own way, or his own way. And where does the power come from to see the race to its end? From within. Jesus said: "Behold, the kingdom of God is within you. If, with all your hearts you truly seek Me, you shall ever surely find Me." If you commit yourself to the love of Christ, then THAT is how you run a straight race.

the kingdom of God is within youは、ルカによる福音書17章でイエスが言った一言で、神の国がどこにあるかは地理的な場所の問題ではなく、信者の心の中にある、という教えです。また、それに続くセリフは、申命記とエレミヤ書に出てきます。申命記4章29節を見てみましょう。

しかしあなたがたはそこ（異教徒の地）から主であるあなたがたの神を求めれば、心を尽くし、魂を尽くして求めれば、神を見つけるだろう。

But if from there you shall seek the LORD your God, you shall find him, if you seek him with all your heart and with all your soul.

エリックは、中国での布教活動を任命されていて、それが神から与えられた使命だとわかっていますが、オリンピックに行くことも神の意志だと思っています。

陸上競技に時間を取られることを快く思っていない妹に対して、エリックが言ったセリフを見てみましょう。

でも彼（神）は僕を敏速に創造してくださり、僕は走っているときは神の歓喜を感じるんだ。これをあきらめるのは神への冒瀆《ぼうとく》だよ。君の言うとおり、これは遊びなんかじゃない。

勝利を収めることは神を称えることなんだ。

But he also made me fast. And when I run I feel his pleasure. To give it up would be to hold him in contempt. You were right. It's not just fun. To win is to honor him.

フィリピの信徒への手紙3章14節に、こう記されています。

神がイエスによって与えてくれる天職という賞を得るために、私は目標を目指して走るのです。

I press toward the mark for the prize of the high calling of God in Christ Jesus.

the high calling of God（直訳すると「天から神が呼ぶ声」）は天職のことで、ここでは神の道に仕える人になる、という意味です。聖書のこの一言を知っていると、エリックのセリフをより深く味わえますよね。

４００メートル競走の直前に、アメリカ人のランナーがエリックに手渡した紙切れにはこう書かれています。

旧約聖書にこう書いてあります。「私を尊重する者を私は尊重する」　幸運を！　ジャクソン・ショルツ

It says in the Old Book "He that honors me I will honor." Good luck. Jackson Scholz.

これはサムエル記上２章30節の引用です。

エリックが十戒の１つ「安息日を忘れずに神聖なものとして守れ」（Remember the sabbath

day, to keep it holy.）を遵守して、神を尊重したので、神もエリックを尊重してくれる、ということです。

この映画は、そもそも十戒を知らないとエリックがなぜ日曜に休むことにこだわるのかわからないでしょうから、やっぱり聖書って欧米文化の基礎知識として知っておきたいですよね。

詩篇

『ペイルライダー』で地獄を引き連れてくるイーストウッド　*Pale Rider*

あらすじ――ゴールドラッシュ時代のカリフォルニア。鉱山主が牛耳るある町では、1つの家族だけがその横暴に抵抗していた。その町にふらりと現れた屈強な牧師（クリント・イーストウッド）。彼は一家を助け、町を解放しようとする。

クリント・イーストウッドが悪者を罰する放浪のガンマンを演じているこの作品では、悪漢たちに殺された愛犬を葬るシーンで、少女ミーガンがこう言っています（引用している「　」の部分は、詩篇の第23篇が元になっています）。

「主は私の牧者で私には乏しいことはない」

でも乏しいのです。

「主は私を安らかな水際に導き、私の魂を蘇らせる」

でもあいつらは私の犬を殺しました。

「死の陰の谷を歩んでも私は悪を恐れません」

でも怖いです。

「あなたが私と共にいるからです。あなたの鞭とあなたの杖は私を慰めます」

でも私たちには奇跡が必要です。

「私が生きている限りあなたの愛に満ちた優しさと慈悲が私に伴うでしょう」

あなたが存在すれば、ということですけど。

「私は永遠に主の宮に住むでしょう」

でも、その前にまずこの人生からもっと多くを得たいのです。あなたが助けてくれなかったら、私たちはみんな死んでしまいます。どうか、１つでいいですから奇跡を起こしてくださいませんか？　アーメン。

"The Lord is my shepherd; I shall not want."

But I do want.

"He leadeth me beside still waters. He restoreth my soul."
But they killed my dog.
"Yea, though I walk through the valley of the shadow of death, I shall fear no evil."
But I am afraid.
"For thou art with me. Thy rod and thy staff they comfort me."
But we need a miracle.
"Thy loving kindness and mercy shall follow me all the days of my life."
If you exist.
"And I shall dwell in the house of the Lord forever."
But I'd like to get more of this life first. If you don't help us we're all gonna die. Please? Just one miracle? Amen.

詩篇の第23篇は、お葬式で必ずと言っていいほど引用されるほか、恐怖心を追い払いたいとき、勇気を鼓舞するときなどにもよく使われるので、知っておいて損はないでしょう。

次に、ミーガンが聖書を朗読するシーンを見てみましょう。ミーガンは、ヨハネの黙示録6章の4節から8節を読んでいます。

そしてそれに乗っている者には、人々が殺し合うようになるために地上から平和を奪う力が与えられ、大きな剣も与えられた。

第3の封印が開かれた時、第3の生き物が「来て、見るがいい」と言うのを私は聞いた。私は見てみると、黒い馬が現れ、乗っている者は、はかりを持っていた。私は4つの生き物の間から出てくる声が、こう言うのを聞いた。「小麦1ますは1ディナリ、大麦3ますは1ディナリ、油とワインを損なうな」

小羊が第4の封印を解いたとき、第4の生き物が「来て、見るがいい」と言うのを私は聞いた。

そこで見てみると、見よ、青白い馬が現れた。それに乗っている者の名は死で、地獄が彼の後についてきた。

And I looked, and behold a pale horse: and his name that sat on him was Death, and Hell followed with him.

この朗読シーンの後、クリント・イーストウッドが白っぽい馬に乗って現れるので、彼こそが「青白い乗り手」（Pale Rider）、つまり、地獄を引き連れてくる「死」である、ということなんですよね。

ヨハネの黙示録のこのくだりは聖書の中でも特に有名な部分なので、英語圏の人の多くはPale

Riderというタイトルを聞いただけで、「死が地獄を引き連れてくる」という言外の意味を読み取ることができます（ちなみに本作品でのイーストウッドのキャラクターは、悪者どものみに死をもたらし、罪のない人々を救うヒーローです）。

エゼキエル書

勇敢な少女も聖書を引用する『トゥルー・グリット』 *True Grit*

あらすじ――西部開拓時代のアメリカ。牧場主の父親を殺害された少女マティ（ヘイリー・スタインフェルド）は仇討ちの旅を1人で始め、保安官コグバーン（ジェフ・ブリッジス）に協力を求める。ジョン・ウェイン主演の名作西部劇『勇気ある追跡』をリメイクした作品。

父親が殺された後、街にやって来たマティには泊まる場所がなく、葬儀屋の死体置き場に泊まらせてもらいます。翌朝、彼女はこう言います。

きのうの夜は3体の死体と一緒に葬儀屋のところで過ごしたの。乾いた骨の谷のエゼキエルみたいな気分だったわ。

I just spent last night at the undertaker's in the company of three corpses. I felt like Ezekiel in the valley of the dry bones.

このセリフは、エゼキエル書37章の記述に言及した一言です。そこを見てみましょう。

主の手が私の上に差し伸べられ、主は私を主の霊で満たして出て行かせ、
骨だらけの谷の中に私を置いた。
And set me down in the midst of the valley which was full of bones,
彼は私に谷の周囲を歩かせた。見よ、谷の地面には多くの骨があり、
それらはひどく乾いていた。
They were very dry.

これは、南北に分裂して弱体化したイスラエルが蘇ると告げるために、神がエゼキエルに見せた光景で、この後、神の力で骨に肉がつき人間として生き返ります。

次に、マティがお母さんに書いた手紙を見てみましょう。父親を殺した犯人追跡の旅に出ることを告げる手紙で、詩篇の第23篇を引用してマティはこう書いています。

お父さんはいつも正しかったので、私にも正しくあって欲しいと思っているはずです。だから私のことは心配しないでください。死の陰の谷を歩んでも私は悪を恐れません。すべてのものの作者（＝神）が私を見守っていてくれるし、いい馬を買いましたから。

You know that Papa would want me to be firm in the right as he always was. So do not fear on my account. Though I walk through the valley of the shadow of death, I shall fear no evil. The author of all things watches over me and I have a fine horse.

詩篇の第23篇って、邪悪に対処するおまじないみたいな感じですよね。

マタイによる福音書

『スリー・キングス』は黄金を盗む王様の話!?　*Three Kings*

あらすじ――湾岸戦争直後のイラクにある米軍のベースキャンプ。3人のアメリカ兵は、イラクが隠した金塊のありかを示した地図を入手し、金塊探しの旅に出る。

３人のアメリカ兵が、イラクのフセイン大統領が隠した金塊を探して砂漠を旅するというプロットのこの映画、タイトルの『スリー・キングス』は、イエス誕生を祝って訪れた博士たちに関する記述が元になっています。

ベツレヘムでイエスが生まれたとき、東方から博士たちがヘロデ王のところへやって来て、こう言います。

「ユダヤ人の王として生まれた方はどこにいらっしゃいますか？　私たちは東でその方の星を見たので、その方を崇拝するためにやって参りました」

ヘロデ王は、自分の地位が脅かされることを恐れて、博士たちをスパイとして使おうと画策し、彼らに「ベツレヘムに行って、その幼子のことを調べて報告してくれ」と頼みます。

博士たちが星に導かれてイエスが生まれた場所にたどり着いた後のシーンを見てみましょう。マタイによる福音書２章に、こう記されています。

そして彼らは家に入り、母マリアのそばにいる幼子に会い、ひれ伏して拝み、宝の箱を開け、黄金、乳香、没薬《もつやく》などの贈り物を捧げた。

And when they were come into the house, they saw the young child with Mary his mother, and fell down, and worshipped him: and when they had opened their treasures, they presented unto him gifts; gold, and frankincense and myrrh.

彼らは、「ヘロデ王のところへ戻るな」という夢のお告げを受け、他の道を通って自分の国へ帰ります。

一方、ヨセフ（マリアの夫）は、「ヘロデ王が幼子を殺そうとするからエジプトへ逃げろ」という夢のお告げを受けたので、イエス一家はエジプトに逃げて、ヘロデ王が死ぬまでエジプトに留まります。そうとは知らず、ヘロデ王はベツレヘムとその周辺にいる２歳以下の男の子を皆殺しにします。

「博士たち」は、英訳ではMagi（古代の占星術師を意味するMagusの複数形）か、wise menが使われます。何人いたかは明記されていませんが、３種類の贈り物が記されているので、博士たちの数も３人だったのだろうと後世の人たちが勝手に推測し、three wise menとかthree kings, three Magiと呼ばれるようになりました。

クリスマスの時期になると必ず耳にする“We Three Kings of Orient Are”（我らは来たりぬ）というクリスマス・キャロルも、この博士たちのことを歌った曲です。ですから、英語圏の人たちはThree Kingsというタイトルを見ると、ほぼ反射的にイエス誕生を祝いに東方から旅をして来た博士たちのことを思い浮かべるんですよね。

ちなみに、イエス一家がどうやってエジプトに逃げ、どうやってエジプトで生計を立てていたのか、聖書にはその辺のことは記されていません。でも、博士たちからもらった高価な贈り物が逃亡の際にも、エジプトで暮らす上でも役立ったはず。

そういったわけで、米兵がお宝を求めて砂漠を旅し、やっと発見した金塊をフセインに反抗した難民たちにあげて彼らをイランに逃してあげるというこの映画には、Three Kingsのタイトルがまさに適切と言えるでしょう。

また、映画の中で米兵の1人がWe Three Kings of Orient Areの歌を、We Three Kings be stealing the gold ...「俺たち3人の王は黄金を盗む」と歌っていますが、これも黄金などの贈り物を携えて救世主を称えに来た3人と、黄金を盗む米兵のコントラストがおもしろいですよね。

ルカによる福音書

『レジェンド・オブ・フォール』は「放蕩息子」の話　*Legends of the Fall*

あらすじ――アルフレッド（エイダン・クイン）、トリスタン（ブラッド・ピット）、サミュエルの3人の息子たちとモンタナに暮らす父（アンソニー・ホプキンス）がたどる道を、壮大なスケールで描いた作品。アメリカが第1次世界大戦に参戦し、兵隊に志願した兄弟たちを待ち受ける運命とは。

聖書の引用こそ出てきませんが、キリスト教徒（つまり欧米人の大半）の眼には、この物語がルカによる福音書15章でイエスが語った「放蕩息子」（prodigal son）のたとえ話に基づいていることが明らかです。ルカの15章11～32節をかいつまんで説明しましょう。

ある人に2人の息子がいたのですが、ある日、弟のほうは父親から財産の分け前をもらって遠い国に旅立ち、そこで放蕩の限りを尽くし、もらった財産をすべて失い、異教徒に雇われて豚の世話をする羽目になります（ユダヤ教では豚は不浄なものとされています）。

その後、この弟は改心して父親のところに戻り、「私は天に対しても父上に対しても罪を犯し、もう息子と呼ばれる資格はありません」と言います。

父親は彼の帰郷を喜び、よい服や靴を与え、肥えた子牛を殺して祝宴を開き、こう言います。

この私の息子は死んでいたのに生き返り、いなくなっていたのに見つかったからだ。

For this my son was dead, and is alive again; he was lost, and is found.

これを見た兄は怒り、父親にこう言います。「私は何年もの間、一度も口答えせずにあなたに仕えているのに、友だちとの宴会のためにあなたは子ヤギ1頭さえくれなかった。それなのに、娼婦どもと一緒に財産を食いつぶした弟には肥えた子牛を殺してやるとは」

これに対し、父親はこう答えます。

「息子よ、おまえはいつも私と一緒にいる。私のものはすべておまえのものだ。しかし、おまえのあの弟は死んでいたのに生き返り、いなくなっていたのに見つかったので、祝宴を開いて歓喜するのは当然だ」

これは、どんな罪人も悔い改めれば許され、神に喜んで受け入れてもらえるという主旨の、神の愛と改心の重要性を説くたとえ話です。

映画では、まじめな長男アルフレッドよりも、好き勝手なことをしている次男トリスタンのほうが誰からも愛されていることが初めから明らかです。

で、最後のほうで、亡き妻スザンナのお墓の前でアルフレッドがトリスタンに言う一言は、まさに放蕩息子のたとえ話そのものです。アルフレッドのセリフを見てみましょう。

> 僕は人間の規則、神の律法、すべてのルールに従ってきた。おまえはというと、おまえはすべてのルールを無視したのに、みんな僕よりおまえのことを愛してた。サミュエルも、父さんも、僕の妻さえも。
>
> I followed all the rules: man's and God's. And you, you followed none of them. And they all loved you more. Samuel, father, even my, even my own wife.

ブラッド・ピットのファンの皆さん、ルカの15章を読んだ後にこの作品をもう一度見て、しっかり鑑賞し直してくださいね。

ローマの信徒への手紙

『ディアボロス　悪魔の扉』は悪の誘惑がいっぱい　*The Devil's Advocate*

あらすじ――フロリダ州で活躍する弁護士ケヴィン（キアヌ・リーヴス）は、ニューヨークにあるミルトン法律事務所から高待遇でスカウトされる。妻（シャーリーズ・セロン）とともに都会での生活を始めるが、ケヴィンはミルトン社長（アル・パチーノ）から大きな仕事を任され、その間、妻は慣れない暮らしで次第に精神がおかしくなっていく。

原題はThe Devil's Advocateで、この映画では文字通り「悪魔の擁護者」という意味ですが、日常会話では「ディベートのためにわざと反対意見を述べる人」という意味で使われます。

アル・パチーノ演じる悪魔は、この世では弁護士に化けていて、彼の名前はジョン・ミルトン（John Milton）。叙事詩『失楽園』を書いたイギリスの詩人と同名ですが、この詩はアダムとイヴが蛇にそそのかされて禁断の実を食べ、エデンの園から追放されるという聖書の話を元にしています。

悪魔に見初められてしまった弁護士ケヴィンですが、彼のお母さんが行っている教会で、信者たちが歌っているアップ・テンポの賛美歌の歌詞を見てみましょう。

ローマの信徒への手紙16章19節！　悪という罪を犯さなければ平和の神がやがて悪魔をつぶしてくれる。

Romans 16:19! Be innocent of evil and the God of Peace will soon crush Satan

ローマの信徒への手紙16章19節には「あなたたちが善に聡く、悪には疎くあってほしい、と私は望んでいます」と記されています。

ニューヨークに行くというケヴィンと、お母さんのアリスの会話にも聖書の引用が出てきます。「」の中は、ヨハネの黙示録18章からの引用です。

アリス　ニューヨークがどんなところか教えてあげるわ。「倒れた、大いなるバビロンは倒れた。バビロンは悪魔の住む所となった」ヨハネの黙示録18章。聖書をちゃんと読んでごらんなさい。

ケヴィン　忘れようとしても忘れられないよ。

アリス　本当？　バビロンはどうなったか覚えてる？
ケヴィン「強大な都、おまえに対する裁きは一瞬のうちに訪れた。もう二度と1つのランプも灯ることはない」
Alice: Let me tell you about New York. "Fallen, fallen, is Babylon the great. It has become a dwelling place of demons." Revelation 18. Wouldn't hurt you to look it over.
Kevin: Couldn't forget it if I tried.
Alice: Oh, really? And what happened to Babylon?
Kevin: "That mighty city, in one hour has thy mighty judgement come. And the light of a single lamp shall shine no more."

映画の最後のほうで、一度は正義の道に戻ろうとしたケヴィンが、裁判に負けるのがイヤで悪人の弁護を続けることにしたときに、ミルトン（悪魔）がこう言っています。

うぬぼれ……間違いなく私の大好きな罪だ。
Vanity ... is definitely my favorite sin.

キリスト教の7つの大罪は憤怒（wrath）、強欲（greed）、怠惰（sloth）、傲慢（pride）、色欲

(lust)、嫉妬（envy）、暴食（gluttony）ですが、「うぬぼれ、虚栄心」（vanity）は傲慢と同じだと考えられています。

コリントの信徒への手紙

『ノウイング』は終末論についての映画だった　*Knowing*

あらすじ――50年前に子どもたちが埋めたタイムカプセルが開封され、その中から数字が羅列された1枚の紙が出てきた。息子が家に持ち帰ったその紙に興味を持ち、解読したジョン・ケスラー教授（ニコラス・ケイジ）は驚愕した。それは、過去50年に起こった大惨事の日付と犠牲者数とが一致した数字だった！　そして末尾には、これから起こる事件の日にちが３つあり…。

この映画では、ＭＩＴの教授ジョンが、牧師の父親に電話をして、地球が強力な太陽フレアで焼かれてしまうことを警告するシーンを見てみましょう。

ジョン　伝えなきゃいけないことがあるんだ。毎年、聖霊降臨祭のときにしてた霊的な賜物に関するあの説教、賜物の1つは預言で…。
父親　覚えてるよ。コリントの信徒への手紙1、12章だ。教会は預言者を尊重しなければならない、という話だ。
ジョン　預言があるんだ。正しいと証明されようとしてる預言だから、尊重して、真実として受け止めてほしい。

John: I need to tell you something. That sermon you preached every year at Pentecost, about the gifts of the Spirit, one was the gift of prophecy …
Father: First Corinthians 12. Yes, I remember it. The church should respect the prophet.
John: I have a prophecy. It's about to be proven accurate. I need you to respect it and receive it as the truth.

コリントの信徒への手紙1、12章は、神の霊が人に与える賜物に関する話です。神の霊は、知恵、信仰、病気を癒す力、奇跡を行う力、預言能力などいろいろな賜物を与え、教会には使徒、預言者、教師、そのほかさまざまな賜物を持った人がいて、全員が尊ばれねばならぬ、という主旨のことが書いてあります。
　ですから、ジョンは太陽フレアで地球が焦がされるというにわかには信じがたい気象予報も、牧師の父親は「預言」としてなら尊重し信じてくれるだろう、と思って聖書のアングルで話しかけているのです。

この映画には、もう１つ聖書を知っていると楽しめるシーンが出てきます。

謎の女性ルシンダが住んでいた家の中に、降臨したイエスと車輪のようなものなどが描かれた版画が飾ってありますが、これは預言者エゼキエルが見たイエス降臨の幻を描いた、マテウス・メリアンの版画です。メリアンは17世紀ドイツに活躍した版画家です。

この版画と聖書の引用を知っていると、『ノウイング』はＳＦではあるものの、キリスト教の終末論の要素も含まれている、ということがよくわかりますよね。

結婚式でいつも引用されるのは？―『ウェディング・クラッシャーズ』

Wedding Crashers

あらすじ――同僚のジョン（オーウェン・ウィルソン）とジェレミー（ヴィンス・ヴォーン）の2人組は、知らない人の結婚式にもぐりこんでは列席者の女性たちを「お持ち帰り」する結婚式荒らし。でも、財務長官の娘の結婚式だけはいつもと勝手が違っていた！

この映画では、結婚式の最中にジョンとジェレミーが賭けをするシーンを見てみましょう。

神父　次の朗読です。花嫁の妹さん、グローリアを聖書朗読台に迎えましょう。
ジョン　コリントの信徒への第1の手紙に20ドル。
ジェレミー　一か八かで、コロサイの信徒への手紙3章12節。
グローリア　パウロがコリント人へ書いた最初の手紙からの節を読ませていただきます。
「愛は忍耐強く、愛は優しい」

Father: And now for our next reading I'd like to ask the bride's sister Gloria up to the lectern.
John: 20 bucks First Corinthians.
Jeremy: Double or nothing Colossians 3:12.
Gloria: And now a reading from Paul's first letter to the Corinthians. Love is patient, love is kind.

コリントの信徒への手紙1、13章4〜7節は、結婚式で本当に頻繁に引用されるので、ご紹介しておきましょうね。

愛は忍耐強く、愛は優しい。妬まず、自慢せず、高ぶることもない。他の人々の名誉を汚すこともなければ、利己的でもなく、簡単にいらだつこともなければ、恨みを抱くこともない。愛は不義を喜ばず、真実を喜ぶ。常に守り、常に信じ、常に望み、常に耐えるのです。

Love is patient, love is kind. It does not envy, it does not boast, it is not proud. It does not dishonor others, it is not self-seeking, it is not easily angered, it keeps no record of wrongs. Love does not delight in evil but rejoices with the truth. It always protects, always trusts, always hopes, always perseveres.（NIV）

まさに愛に関する名言ですよね！

賭けには負けたものの、ジェレミーが予測したコロサイの信徒への手紙３章12節〜14節も、やはりよく結婚式で引用されます。こちらも、口語版を見てみましょう。

あなたがたは神に選ばれ、神聖で深く愛されているのですから、憐れみの心、優しさ、謙遜、柔和、寛容を身につけなさい。互いに忍び合い、苦情があっても互いに許し合いなさい。主があなたを許してくださったように。これらすべての美徳に加え、愛を身につけなさい。愛はすべてを完璧に調和させる絆です。

Therefore, as God's chosen people, holy and dearly loved, clothe yourselves with compassion, kindness, humility, gentleness and patience. Bear with each other and forgive one another if any of you has a grievance against someone. Forgive as the Lord forgave you. And over all these virtues put on love, which binds them all together in perfect unity. (NIV)

神様関連の冒頭部分を外して「憐れみの心…」（clothe yourselves with ...）から使えば、こちらも宗教に関係ない愛に関する名言としても応用できるので、使える機会が多いでしょう！

ヨハネの黙示録

引用がオカルト性を増す『シャーロック・ホームズ』 *Sherlock Holmes*

あらすじ——19世紀末のロンドンで、若い女性が次々に殺害される事件が発生。名探偵ホームズ（ロバート・ダウニー・Ｊｒ）は黒魔術を操るブラックウッド卿（マーク・ストロング）を捕まえるが、ブラックウッドは死刑のあとによみがえると言い残し…。

ロバート・ダウニー・Ｊｒがホームズを演じているこの作品では、牢獄でブラックウッドが聖書を朗読しているシーンがあります。

> 私は海の砂浜に立っていると、海から獣が現れるのを見た。頭が7つ、角が10本、角の上には冠があり、頭には神を汚す名がついていた。人々は龍を崇め、龍がその獣に権威を与えた

ので、人々は獣を崇め、こう言った。誰がこの獣に匹敵するだろうか？　私が見たこの獣の体は豹のようだったが、熊の足、獅子の口をしていた。龍が自分の力と地位と大いなる権威をこの獣に与えた。

And I stood upon the sand of the sea, and saw a beast rise up out of the sea, having seven heads and ten horns, and upon his horns ten crowns and upon his heads the name of blasphemy. And they worshipped the dragon which gave power unto the beast and they worshipped the beast saying, Who is like unto the beast? The beast which I saw was like unto a leopard, with the feet of a bear and the mouth was the mouth of a lion. The dragon gave his power, and his seat and great authority.

ブラックウッドは、ヨハネの黙示録13章の最初の部分を、順序を変えて読んでいるんですよね。

次に、ほふり場の壁に書かれた数字をめぐるやりとりを見てみましょう。

ワトソン　ワン・エイティーン。

ホームズ　章と節だ。ヨハネの黙示録１章18節だよ。「私は生きている者であり、死んだことがある」

ブラックウッド「見よ、私は永遠に生きている」ホームズ、警告してやっただろう。これは君の手には負えず、君の理性的な頭では理解できないことだと認めろとね。

Watson: One eighteen.

Holmes: Chapter and verse. Revelations. 1:18. "I am he that liveth, and was dead."

Blackwood: "And behold, I am alive for evermore." I warned you, Holmes to accept that this was beyond your control. Beyond what your rational mind could comprehend.

ブラックウッドのオカルト性も聖書を引用すると、信憑性が増しますよね。ホームズはRevelationsと複数にしていますが、正しくは単数です。
世紀末映画のみならず、西部劇、政治映画にも登場するヨハネの黙示録、お時間があるときに日本語訳でもいいですからぜひお読みになってくださいね！

聖書規模の災害から街を救うのは『ゴーストバスターズ』！ *Ghost Busters*

あらすじ——超常現象を研究して成果を出せず、大学を追い出されてしまったピーター（ビル・マーレイ）、レイ（ダン・エイクロイド）、イゴン（ハロルド・ラミス）の3人は、お化けを退治する「ゴーストバスターズ」を結成。これにウィンストン（アーニー・ハドソン）も加わり、ニューヨークでゴーストが増えていたため事業は大成功する。しかし、ゴーストが街中にあふれる事態が起きてしまい…！

まず、レイとウィンストンが車の中で交わす会話を見てみましょう。

ウィンストン　レイ、死人が墓から蘇るっていう終末に関する聖書の記述、覚えてる？
レイ　覚えてるよ。ヨハネの黙示録7章12節…「そして見てみると、彼は第6の封印を開き、大地震が起き、太陽は毛の粗い布の如く暗くなり、月は血のようになった」
Winston: Hey Ray. Do you remember something in the bible about the last days when the dead would rise from the grave?
Ray: I remember. Revelations 7:12...? "And I looked, as he opened the sixth seal, and behold, there was a great earthquake. And the sun became as black as sackcloth, and the moon became as blood."

実は、レイが引用しているのは6章12節なんです。これは脚本家によるミスなのかダン・エイクロイドが言い間違えたのか、またはわざとなのか、理由はわかりませんが…。でも、ヨハネの黙示録はコメディでも引用されるから読んでおくとお得ということに変わりはありませんよね。
ヨハネの黙示録やイエスの再臨に関して書かれている他の章の記述を総合すると、イエスが再臨すると、生きている間に神の道に従っていた人たちの死体が蘇るということなので、ウィンストンの言葉もちゃんと聖書に基づいています。ちなみに、sackclothは山羊の毛で織った布のことで暗い色合いです。

ゴーストバスターズの４人組が市長と話すシーンにも聖書が出てきます。

ピーター　ペッカーさんの言うことを信じるか、この街が聖書規模の災害に直面しているという事実を受け入れるか、どちらかです。

市長　聖書の、ってどういう意味かね？

レイ　旧約聖書の、神の真の激怒、というヤツです。火と硫黄が空から降りかかり、川も海も煮え立つ、という規模です。

イゴン　40年の暗黒！　地震、火山…。

ウィンストン　死者が墓から蘇るんですよ！

Peter: Well, you can believe Mr. Pecker, or you could accept the fact that this city is headed for a disaster of biblical proportion.

Mayor: What do you mean, "biblical"?

Ray: What he means is Old Testament, real wrath-of-God type stuff. Fire and brimstone coming down from the skies, rivers and seas boiling.
Egon: Forty years of darkness! Earthquakes, volcanoes…
Winston: The dead rising from the grave!

火と硫黄はソドムとゴモラ（80ページ）で描かれているとおりで、神の激しい怒りの象徴のようなものです。

また、川と海が煮え立つというのは、ヨハネの黙示録8章が元になっています。第7の封印が開かれて7人の天使に7つのラッパが与えられ、第1の天使が第1のラッパを吹くと、血の混じったひょうが降り、第2の天使が第2のラッパを吹くと炎と燃える山のようなものが海に投げ込まれた、と記されています。

40年の暗闇という記述は聖書にはありませんが、イスラエルの民が40年に渡り荒野をさまよう、という試練を受けたことを思い出しますよね。

タイトルを見ただけで内容が想像できる作品

スパイの世界を描いた『グッド・シェパード』 *The Good Shepherd*

あらすじ――イエール大学在学中に起こったある事件をきっかけに、諜報員の道を歩むことになったエドワード・ウィルソン（マット・デイモン）。彼の目を通して、ＣＩＡの創設からキューバ危機までのアメリカの裏外交史が描かれる。

ＣＩＡの基礎を作り、共産主義からアメリカを守ろうとした人物、エドワード・ウィルソンに関するこの映画。原題の The Good Shepherdは、ヨハネによる福音書10章11節のイエスの言葉が元になっています。

私は良い羊飼いです。良い羊飼いは羊のために自分の命を捨てます。

I am the good shepherd: the good shepherd giveth his life for the sheep.

人間の罪を背負って十字架にかけられる宿命のイエスは、人間を羊に例え、人間を導く自分のことを羊飼いに例えていたのです。

映画の最後に、ＣＩＡのロビーの壁に聖書の引用が刻まれているのが映し出されています。

そしてあなたがたは真理を知り、真理はあなたがたを自由にするだろう。ヨハネによる福音書8章32節

And ye shall know the truth, and the truth shall make you free.　John 8:32

the truthは「キリスト教の教え、神の言葉」のこと。でも、「真実、事実」と解釈すると、真実を知っても必ずしも解放された気分にはなれないスパイの世界の悲惨さを浮き彫りにした皮肉な引用と受け止めることができますよね。

叫んでも届かない『羊たちの沈黙』の恐ろしさ　*The Silence of the Lambs*

あらすじ——若い女性を狙った連続猟奇殺人が発生。ＦＢＩの訓練生クラリス（ジョディ・フォスター）はある任務を課せられ、天才的な精神科医、レクター博士（アンソニー・ホプキンス）を訪れる。彼は自分の患者を食した罪で精神病院に監禁されていた。

原題のThe Silence of the Lambsからは、イヤでもa lamb to the slaughter（１０１ページ）を連想してしまいます。

危険を察知できず声も出せずに邪悪な犯人のところへ行ってしまう被害者たちは「ほふられる小羊」のようで、悪者に捕まった後は叫んでも誰の耳にも届かないという状況はまさに「子羊たちの沈黙」という感じです。

映画の中でクラリスが、子どもの頃に、ほふられる小羊たちの悲鳴を聞いて、逃がしてやりたいと思った、と言っています。これも、a lamb to the slaughterの記述と対照させてみると、味わい深いですよね。

『ロック・オブ・エイジズ』の二重の意味とは　*Rock of Ages*

あらすじ――ブロードウェーの大ヒットミュージカルを映画化した作品。１９８０年代後半、ハリウッドのライブハウスを舞台に、ロックシンガーを目指す若者の恋と青春を描く。

トム・クルーズが80年代のロックスターを演じたこのミュージカルの原題、Rock of Agesは、デフ・レパードの同名のヒット曲からとったもの。

でも、そもそもはダービー訳のイザヤ書26章４節に出ているのです。

永久にエホバを信頼せよ、なぜならエホバはとこしえの岩なのだから。
Confide ye in Jehovah for ever; for in Jah, Jehovah, is the rock of ages.

とこしえの岩＝永遠に揺るがない頼れる存在、ということですね。

他の英訳聖書では、everlasting rockとかeternal rockとなっていますが、ダービー訳のthe rock of agesが最もよく使われていて、18世紀のアングリカン・チャーチの聖職者が作った賛美歌Rock of Agesは「ちとせの岩よ」という和訳で日本でも知られています。

ですから、賛美歌としても有名な聖書の言葉が「永遠のロック」という意味でロック・ミュージックやロック・ミュージカルになってしまったという大いなる飛躍が、英語圏の人の耳には非常におもしろく響くのです。

たとえば、「きみがよ」という映画を見に行ったら、卵の黄身が主役のおバカ映画だったりしたら、内容はともあれ、タイトルに座布団１枚あげたくなるでしょう？

『ロック・オブ・エイジズ』も、そのノリでタイトルだけでも意外性があっておもしろい、というわけです。

このように、洋画には聖書を知らないと主旨がわからない映画がたくさんありますが、聖書を読むのは面倒だという方は、映画を見て聖書を勉強してみてはいかがでしょうか？

チャールトン・ヘストンの『十戒』や『ベン・ハー』を筆頭に、メル・ギブソンの『パッション』、マックス・フォン・シドウがイエスを演じた『偉大な生涯の物語』、『キング・オヴ・キングス』、『聖衣』、『クオ・ヴァディス』、『ソドムとゴモラ』、『サムソンとデリラ』、『ナザレのイエス』などがおすすめです！

第 4 章

英文学と聖書は切っても切れない関係

～赤毛のアンからシェイクスピアまで

ミルトンの『失楽園』（Paradise Lost）は、題名通り、創世記でアダムとイヴがエデンの園から追放され、楽園が失われた過程をモチーフにした作品。また、バイロン卿の英訳で英語圏でも知られるようになったイタリアの詩『モルガンテ・マジョーレ』という作品は次のように始まります。

初めに言葉が神と共にあった。神は言葉であり、言葉も同様に神であった。
In the beginning was the Word next God;
God was the Word, the Word no less was He:

これは、ヨハネによる福音書1章1節、「初めに言葉ありき。言葉は神と共にあり、言葉は神だった」(In the beginning was the Word, and the Word was with God, and the Word was God.) とほぼ同じです。

アンドレ・ジッドの『狭き門』(英訳はStrait Is the Gate) は、マタイによる福音書7章14節「命に至る門は狭く、その道は細く、それを見いだす者は少ない」(strait is the gate, and narrow is the way, which leadeth unto life, and few there be that find it) がモチーフになっています。

このように、聖書は古くから文学者のインスピレーションの元となっています。

ここでは、日本で英語を学習している方々に特に親しまれている作品で、聖書がいかに重要な役割を果たしているかをご紹介しましょう。

聖書で理解度が200%上がる『赤毛のアン』 *Anne of Green Gables*

あらすじ——男の子の養子をもらおうとしたマシューとマリラの老兄妹だったが、仲介人の手違いで孤児院からやって来たのは女の子のアンだった。最初は送り返そうとするが、結局アンを育てることを決心するマシューたち。やがてアンはダイアナという親友を得て、アヴォンリーの地での生活になじんでいく。

多くの日本人にとっておなじみの『赤毛のアン』にも、聖書の引用や聖書に起因する表現が数多く出てきます。

まず、養子をもらおうとするマリラに対して、近くに住むレイチェル・リンドが養父母の家に火をつけた養子の話を引き合いに出し、注意を促します。その後の記述を見てみましょう。

このヨブを慰める行為はマリラを怒らせることも警戒させることもなかったようで、彼女はせっせと編み物を続けた。

This Job's comforting seemed neither to offend nor to alarm Marilla. She knitted steadily on.

ヨブを慰める行為（Job's comforting）は、45ページでご紹介したヨブの話、またヨブ記に由来する「ヨブを慰める人」（Job's comforters）という表現を知っていると納得がいきますよね。

さて、アンはマシューに出迎えられ、馬車でマリラの待つ家に行きますが、そこで初めてマリラが男の子を望んでいたことを知ります。そしてそこにとどまれるかどうかわからないまま、不安な一夜を過ごします。

次の朝、アンは「今朝はとてもお腹がすいているの」と言った後、こう続けています。

今朝は、昨日の夜ほどこの世の中が獣の吠える荒れ地という感じはしないわ。

The world doesn't seem such a howling wilderness as it did last night.

howling wildernessは、申命記32章の次の記述が元になっています。

彼（主）は彼（ヤコブ）を荒野で見つけ、獣の吠える荒れ地で会い、彼を導き、指導し、目の瞳のように大切に守った。

He found him in a desert land, and in the waste howling wilderness; he led him about, he instructed him, he kept him as the apple of his eye.

主がアブラハムの孫でイサクの息子であるヤコブを守ったことに関する記述です。これを知っていると、獣の吠える荒れ地が「神に守られなければ生き抜くことができない恐ろしい場所」であることがよくわかり、アンにとって前の夜がどれほど辛い至難の時だったかを読み取ることができるでしょう。

次に、家にとどまれると知った後にうれし泣きするアンが、マリラに言った一言を見てみましょう。

すごくいい子になるようにするわ。難しいことだとは思うけど。私ははなはだしく邪悪だと、よくミセス・トーマスに言われてたから。でも、最善を尽くします。

I'll try to be so good. It will be uphill work, I expect, for Mrs. Thomas often told me I was desperately wicked. However, I'll do my very best.

「はなだしく邪悪」という表現はエレミヤ書17章に出てきます。

心は何よりも偽るもので、はなはだしく邪悪だ。誰がこういうことを知り得ようか？

The heart is deceitful above all things, and desperately wicked: who can know it?

人の心はそもそもひどく邪悪だ、ということを主はちゃんと知っているので、主は人を導き、人は主に従わなければならない、という意味です。

12歳の女の子に対して「はなはだしく邪悪」という形容詞を使うなんて、ミセス・トーマスは言い過ぎでは？　と思った方もいるかもしれませんが、出典を知っているとこの表現にも納得がいくでしょう。

さて、ある日、アンはマリラのブローチをなくしてしまいます。罰として、楽しみにしていたピクニックに行けないことになると、アンは激しく泣き叫びます。この様子を見たマリラが、レイチェル・リンドの忠告を聞いて養女などもらわなければよかったと思った後、気を取り直してこう言っています。

> あぁ、残念だけどレイチェルが初めから正しかったのね。でも私はすでに鋤《すき》に手をかけてしまったから振り返ったりしませんよ。
>
> Oh dear, I'm afraid Rachel was right from the first. But I've put my hand to the plow and I won't look back.

後半はルカによる福音書9章に出てくる記述が元になっています。イエスに同行しようとする人の1人が、「主よ、あなたに付き従いますが、まず家に戻って家族に別れを告げさせてください」と言った後、イエスはこう答えています。

手を鋤《すき》にかけてから後ろを振り向く者は神の国にふさわしくない。

No man, having put his hand to the plough, and looking back, is fit for the kingdom of God.

ploughもplowも「鋤」です（前者はイギリス英語のつづり）。現代英語でput one's hand to the plowは「難しい仕事に手をつける、重要な仕事に取りかかる」というイディオムになっています。

このイディオムの元になっている聖書の一言を知っていると、マリラが一度決心したらやり通すという強い意志の持ち主で、しかも神の国に入るのにふさわしいのだ、という言外の意味も読み取れますよね。

やがてアンはダイアナという親友を得ますが、彼女にラズベリー・スカッシュと間違ってスグリのワインをあげてしまったせいで、会えなくなってしまいます。その後、アンはこう言っています。

マリラ、軌道を回る星々も私と戦っているのよ。ダイアナと私は永遠に離ればなれだわ。

The stars in their courses fight against me, Marilla. Diana and I are parted forever.

前半の一言は士師記5章の一節が元になっています。聖書に登場する士師（judge）の中で唯一の女性の士師デボラが、敵と戦って打ち負かしたことを称えた詩、通称「デボラの歌」（the Song of Deborah）の中に、星も敵軍司令官シセラと戦った、という一節が出てきます。

軌道を回る星々もシセラと戦った。
The stars in their courses fought against Sisera.

これは、天候もイスラエル軍に味方した、という意味だと解釈されています。

聖書のこの話を知っていると、天の星までも敵に回してしまったと思っているアンの悲しみをより深く理解できますよね。

ちなみに、シセラはこの後、重い槌《つち》で頭を砕かれて殺されてしまうので、親友と引き裂かれたアンも、心は死を待つばかり、という状態だったのでしょう。

アンと話すことを禁じられたダイアナが密かにアンに手紙をよこすシーンには、こう書かれています。

でも次の朝、畏怖と感嘆の念を抱かせるほどねじれて折りたたまれた手紙と小包がアンのもとに届けられた。

But the next morning a note most fearfully and wonderfully twisted and folded, and a small parcel were passed across to Anne.

fearfully and wonderfullyという表現は、詩篇１３９篇のダビデの賛歌に由来します。

私はあなた（主）を褒め称えます。あなたは私を畏怖と感嘆の念を抱かせるものに作り上げてくれたからです。あなたの御《み》技《わざ》はすばらしく、私の魂はそれをよく承知しています。

I will praise thee; for I am fearfully and wonderfully made: marvelous are thy works; and that my soul knoweth right well.

人間を他の創造物とは別格のものに作り上げてくれたことを神に感謝する一言です。

この記述を知っていると、ダイアナの手紙が単なる４つ折りではなく技巧的な入り組んだ折り方で折りたたまれていたのだろう、と想像がつきますよね。

アンが新学年に向けて気持ちを新たに勉強に取り組もうと宣言する一言にも、聖書の引用が登場します。

マリラ、私は完璧にすばらしい夏を過ごしたから、今はこの前の日曜にアラン牧師が言っていたように、勇士のごとく喜びその走路を走っているの。

I've had a perfectly beautiful summer, Marilla, and now I'm rejoicing as a strong man to run a race, as Mr. Allan said last Sunday.

アラン牧師、そしてアンが引用している詩篇第19篇を見てみましょう。

それ（太陽）は部屋から出てくる花婿のように、勇士のごとく喜びその走路を走る。

Which is as a bridegroom coming out of his chamber, and rejoiceth as a strong man to run a race.

元ネタを知っていると、アンが太陽のように輝きながら、歓喜に満ちて元気よく勉強に取り組もうとしている姿が目に浮かびますよね！

『アンの青春』 *Anne of Avonlea*

あらすじ――『赤毛のアン』の続編。アンはアヴォンリーの学校の先生になり、そのうえマリラとともに双子のデイビーとドーラを引き取って育てることになる。また、ミス・ラヴェンダーという女性と出会い、彼女のロマンスを成就させる。

やんちゃなデイビーと優等生のドーラという対照的な双子を引き取ったある日。近隣一帯はひょうが降る激しい嵐に襲われ、家々や作物は大被害を受けます。その後のデイビーのリアクションを見てみましょう。

デイビーは「僕は一度しか悲鳴を上げなかったよ」と誇らしく言った。「僕の庭は打ちのめされちゃったけど」と、彼は悲しそうに話し続け、「でもドーラの庭も台無しになっちゃった」と、ギレアデにまだ乳香がある、という口調で付け足した。

"I only squealed once," said Davy proudly. "My garden was all smashed flat," he continued mournfully, "but so was Dora's," he added in a tone which indicated that there was yet balm in Gilead.

まずギレアデの乳香に関する創世記の記述を見てみましょう。夢判断の才能を持つヨセフ（Joseph）が、嫉妬する兄弟たちの手で穴に投げ込まれ、エジプトに売られる直前の記述です。

そして彼ら（兄弟たち）はパンを食べようと座って、目を上げると、香料と乳香と没薬《もつやく》を積んでギリアデからエジプトに行こうとしているイシマエル人の商隊が見えた。

And they sat down to eat bread: and they lifted up their eyes and looked, and, behold, a company of Ishmeelites came from Gilead with their camels bearing spicery and balm and myrrh, going to carry it down to Egypt.

ギレアデは今のヨルダンにある山がちな地方の名称で、乳香の産地で、聖書の時代はギリアデの乳香は何でも治せる万能薬として使われていたようです。この一節から、ギリアデの乳香が没薬や香料と並んでキャラバンで取引されるほど人気の品だったことがわかりますよね。

エレミヤ書8章には、イスラエルの民が偶像崇拝などの罪を犯したことを嘆く一言が出てきます。

ギリアデに乳香はないのか、そこには医者がいないのか？

Is there no balm in Gilead; is there no physician there?

ギレアデにはちゃんと何でも治せる乳香があり、それを処方できる医者もいるではないか、という反語です。背徳を治す薬も医者もいるのにイスラエルの民が邪悪なことをするのは、彼らが神の言葉を聞く耳、神に従う心を持たないからだ、という意味です。

この記述を知っていると、「ギレアデにまだ乳香がある、という口調」が「万能薬を受け入れる心さえあれば希望が持てる口調」という意味合いであることがわかりますよね。

ミス・ラヴェンダーの結婚式のシーンでも聖書の引用が登場します。

朝のうちに部屋は飾られ、テーブルも美しくセットされて、2階では「夫のために着飾った」花嫁が待機していた。

By noon the rooms were decorated, the table beautifully laid; and upstairs was waiting **a bride, "adorned for her husband."**

引用符の中はヨハネの黙示録21章の引用です。以下に見てみましょう。

そして私は新しい天と新しい地を見た。前の天地は消え去り、もう海もなかった。

そして、私、ヨハネは聖なる都、新しいエルサレムが夫のために着飾った花嫁のように用意を整えて天の神のもとから下って来るのを見た。

And I John saw the holy city, new Jerusalem, coming down from God out of heaven, prepared as **a bride adorned for her husband**.

聖書の記述を知っていると、ミス・ラヴェンダーが神々しいほどだった、という言外の意味も読み取れるでしょう。

作者のユーモアを感じる場面―『アンの愛情』 *Anne of the Island*

あらすじ――アヴォンリーを離れ、レドモンド大学に通い始めたアン。そこでの４年間がつづられた作品で、アンは友人プリシラらとともに家を借り、同居し始める。

『アンの愛情』は、聖書の引用で始まります。

「刈り入れは終わり、夏は過ぎ去った」という一言を、アン・シャーリーは刈り込んだ畑をうっとりと見つめて引用した。

"Harvest is ended and summer is gone," quoted Anne Shirley, gazing across the shorn fields dreamily.

アンが引用しているのはエレミヤ書8章の一節です。

刈り入れの時は過ぎ、夏は終わったが、我々はまだ救われない。

The harvest is past, the summer is ended, and we are not saved.

アンの引用はキング・ジェイムズ版の英訳をちょっとひねったもので、pastがendedに、endedがgoneになっています。

余談になりますが、実はこのすぐ後に先ほどご紹介したギレアデの乳香の一節が出てくるので、モンゴメリーはよほどエレミヤ書8章がお気に入りだったのでしょう。

アンがアトランティス大陸などを夢見て空想にふけるシーンでも、聖書が引用されています。

彼女は現実よりも夢の中でのほうが豊かだった。なぜなら目に見えるものは一過性のものだが、見えないものは永遠だから。

And she was richer in those dreams than in realities; for things seen pass away, but the **things that are unseen are eternal.**

元ネタはコリントの信徒への手紙２、４章です。

私たちは見えるものではなく見えないものに目を留めます。見えるものは一時的ですが、見えないものは永遠だからです。

While we look not at the things which are seen, but at the things which are not seen: for **the things which are seen are temporal; but the things which are not seen are eternal.**

これは、厳しい現実の試練は無視して神の栄光と共にいられる未来を視野に入れて精進しろ、という意味です。

アンにとっては、空想の世界が神の国と同じぐらいの魅力とポジティブなパワーを持っているわけです。聖書の表現を知っているとモンゴメリーの文章をさらに味わい深く鑑賞できるでしょう。

大学で勉強しているアン宛てにリンド夫人が書いた手紙でも、聖書が引用されています。リンド夫人は、日曜には勉強せずに教会に行き、気をつけて友だちを選べ、大学にはどんな輩《やから》がいるかわかったもんじゃないと書いた後、こう続けています。

いまどきの女の子たちが世の中を放浪しているのは恐ろしいことです。ヨブ記の、行き巡りあちこち歩き回った悪魔のことをいつも思い出してしまいます。

But the way girls roam over the earth now is something terrible. It always makes me think of Satan in the Book of Job, **going to and fro and walking up and down**.

ヨブ記1章の記述を見てみましょう。神がサタンに「おまえはどこから来たのか？」と尋ねると、サタンはこう答えています。

地を行き巡り、あちこち歩き回って来ました。

From **going to and fro** in the earth, and from **walking up and down** in it.

保守的なリンド夫人は、家にとどまり家族を守るのが女性の義務だと思っているので、若い女性が旅行をしたり故郷を離れた場所で仕事をしたりする現状を嘆いているのですが、ヨブ記のサタンにいまどきの女性をたとえているなんてスゴすぎますよねぇ！

でも、アンとプリシラが借りた家にある置物の犬たちの名前は、さらにスゴい！　家主のミス・パティがこう言っています。

彼らの名前はゴグとマゴグです。

Their names are **Gog and Magog**.

ゴグとマゴグというのは妙な響きの名前なので、音感だけでも「おもしろい名前！」と、モンゴメリーの音のセンスに感動する人もいるでしょう。実はこの名前も聖書が出典なのです。ヨハネの黙示録20章を見てみましょう。天使がサタンを底知れぬ穴に投げ込み、１０００年間閉じこめた後、サタンはその獄から解放されます。

そして（サタンは）出て行き、地の四方にある諸国、ゴグとマゴグを騙し、戦いのために彼らを招集する。彼らの数は海辺の砂の如し。

And shall go out to deceive the nations which are in the four quarters of the earth, **Gog and Magog**, to gather them together to battle: the number of whom is as the sand of the sea.

ゴグとマゴグはイエス・キリストを襲う邪悪な国々・人々の象徴なのです。聖書の記述を知っていると、70代の老女であるミス・パティが瀬戸物の犬にゴグとマゴグという名前をつけていたという意外性に、モンゴメリーのユーモアのセンスを感じ取ることができますよね。

カインとアベルの物語が下敷きの『エデンの東』 *East of Eden*

あらすじ――カリフォルニア州サリナスを舞台に、そこに移住したサミュエル・ハミルトン家とアダム・トラスク家の2家族の物語を描く。主な登場人物にケイレブとアーロンがいるが、この2人はアダムの双子の息子。また、双子の叔父チャールズは、アダムの異母弟。

ジョン・スタインベックの名作『エデンの東』は、タイトルからして聖書の引用そのものです。エデンの東とは、アベルを殺した後、カインが逃れた場所です。創世記4章16節を見てみましょう。

カインは主の前を去り、エデンの東にあるノドの地に住んだ。

And Cain went out from the presence of the LORD, and dwelt in the land of Nod, on the east of Eden.

英語圏の人の多くがこの記述を知っているので、タイトルを見ただけでこの作品がカインとアベルの逸話に関係あるだろう、と想像がつくんですよね。

また、主な登場人物の名前がそれぞれAとCで始まるのですが、アダムとチャールズ（Adam & Charles）、アーロンとケイレブ（愛称キャル）（Aron and Caleb (Cal)）の関係も、アベルとカイン（Abel & Cain）の関係に似ていますよね。

ちなみに、チャールズとケイレブは農業を営んでいます。創世記４章２節には、こう記されています。

アベルは羊を飼う者になり、カインは土を耕す者になった。
Abel was a keeper of sheep, but Cain was a tiller of the ground.

チャールズとケイレブのプレゼント（高価なナイフとしっかり働いて稼いだ大金）は父親に拒絶されますが、そんなところも、創世記で主がカインの供え物を無視するくだり（25ページ）に似ています。

父親に拒絶された後、チャールズはアダムを半殺しの目に遭わせます。一方、ケイレブはアーロンに売春宿を経営する母親の実態を暴露し、アーロンはそのショックのせいで軍隊に入隊し、前線へ赴き、戦死します。この筋書も、カインがアベルを殺すくだりに似ていますよね。

エリア・カザンの映画を見たことがある方は、父親アダムに「アーロンはどこだ?」と聞かれ、キャル役のジェームス・ディーンが「知るか。僕は兄弟の番人じゃない」I don't know! I'm not my brother's keeper.と答えるシーンを思い出されるでしょう。このシーンも、27ページでご紹介した聖書の記述を知っていると、一際味わい深いですよね!

『怒りの葡萄』は出エジプト記がモチーフ *The Grapes of Wrath*

あらすじ――1930年代のアメリカ。生活に困窮したジョード家はオクラホマからカリフォルニアに移住することを決意する。そこへ刑務所から出所した息子のトムや、牧師のジム・ケイシーが合流する。過酷な旅の末、一行はカリフォルニアにたどり着くが、明るい未来は待ち受けていなかった。

スタインベックの『怒りの葡萄』は、出エジプト記を知っているとより深く味わうことができます。ジョード一家、またオクラホマ州の経済難民が豊かなカリフォルニア州に行く過程は、イスラエルの民がエジプトから脱出してカナンの地へと向かう過程に似ています。ジョード一家を率いるトムは、モーゼのようなものです。

この作品はジョン・フォード監督によって映画化され、アカデミー賞の監督賞を受賞しました。この映画の中で、ラッセル・シンプソンが演じたトムの父親がアリゾナとカリフォルニアの州境で「みんな、見てごらん。乳と蜜の地、カリフォルニアだ」（**There she is, folks – the land a milk an' honey** – California!）と言うシーンが印象的です。もちろん、このセリフも86ページでご紹介した一節を知っていれば感動が増すでしょう。

牧師のジム・ケイシー（Jim Casey）は、罪を犯したトムをかばい、弱者のために闘って殺されるので、イエスに似ています。名前のイニシャルもＪＣで、Jesus Christと同じですね。

また、登場人物の1人の名前、Rose of Sharon（ローザシャーンと発音されています）は旧約聖書の雅歌２章が元になっています。

私はシャロンの薔薇《ばら》、谷のユリ。

I am the **rose of Sharon**, and the lily of the valleys.

実際には薔薇というのは誤訳で、本当は薔薇ではなくクロッカスの一種だと言われています。シャロンは美しい花が咲き誇ることで有名だった地域ということですが、シャロンがどこにあったのかは複数の説があります。でも、本作に出てくるRose of Sharonがこの記述に由来することは明らかですよね。

『白鯨』の聖書的な解釈　*Moby Dick*

あらすじ――１８１４年のマサチューセッツ州。イシュメール（物語の語り手）は預言者イライジャの忠告を聞かず、捕鯨船ピークォド号の乗組員となった。船長のエイハブは、かつてモービー・ディックという白い鯨と死闘を繰り広げ、片足を食いちぎられていた。激しい復讐心を持ったエイハブ船長は徐々に白鯨を追い詰め、とうとう宿命の対決を果たす……。

ハーマン・メルヴィルの『白鯨』は、主要登場人物の名前が聖書に由来するものだと知っていると、より深く鑑賞できるでしょう。

まず、エイハブ船長（Captain Ahab）。Ahab（和訳聖書ではアハブ）は、43ページでご紹介した偶像崇拝者の悪女イゼベルを奥さんにしたイスラエルの王です。彼の父親オムリも、イスラエルの王でありながら偶像崇拝者で、それまでの誰よりも悪いことをした、つまり史上最悪の人間だった、ということが列王紀上に記されています。

アハブも神を崇拝せず、欲しいものはどんな手段を講じてでも手に入れるという自己チューな男で、同じく列王紀上16章にこう記されています。

彼（アハブ）はバアルに仕え、これを拝んだ。彼はサマリヤに建てたバアルの宮にバアルのための祭壇を築いた。

そしてアハブはアシラ像（シドンの人々が崇拝する女神の像）を造った。アハブは、彼の先にいたイスラエルのすべての王に勝ってイスラエルの神である主を怒らせることを行った。

And Ahab made a grove; and Ahab did more to provoke the LORD God of Israel to anger than all the kings of Israel that were before him.

親子2代にわたって悪い王だったので、アハブは筋金入りのワルで、史上最悪の不信心な王だった、ということですね。

続いて21章の記述を見てみましょう。

アハブはぶどう園を欲しがりますが、そのぶどう園の主人ナボテは拒否します。で、イゼベルの陰謀でナボテが殺された後、主が預言者エリヤにこう言っています。

サマリヤにいるイスラエルの王、アハブに会いなさい。彼はナボテのぶどう園を手に入れるためにそこに行っている。あなたは彼に「主が言っている。あなたは殺し、取ったのか」と言わねばならぬ。また彼にこう言いなさい。

「犬がナボテの血をなめた場所で、犬があなたの血をなめるだろう、と主が言っている」と。

Thus saith the LORD, In the place where dogs licked the blood of Naboth shall dogs lick thy blood, even thine.

そして、エリヤはアハブを見つけ出し、アハブにこう言います。

あなたは主の目前で邪悪な行為に身を委ねたので、私はあなたに災いを下し、あなたを完全に滅ぼし、アハブに属する男はイスラエルのどの地にいようと奴隷だろうと自由人だろうとすべて破滅させる。

この後、アハブは戦車の上で敵の矢に当たり、彼の血は戦車の底に流れ、アハブは死んでサマリヤで葬られます。22章の記述を見てみましょう。

人は戦車をサマリヤの池で洗い、犬が彼の血をなめ、彼の鎧《よろい》も洗い、主の言葉の通りになった。

And one washed the chariot in the pool of Samaria; and the dogs licked up his blood; and they washed his armour; according unto the word of the LORD which he spake.

エリヤは英語ではElijahで、普通のカタカナ表記だとイライジャです。

聖書に出てくるエリヤとアハブの関係を知っていると、『白鯨』の預言者イライジャとエイハブ船長に関する記述をさらに興味深く読むことができるでしょう。

『白鯨』の語り手であるイシュメールはエイハブがどんな人間かを説明され、「彼こそはエイハブだよ。誰もが知ってるあのエイハブは王冠をいただいた王だった」と言われた後、イシュメールがこう言っています。

それにすごい悪者だった。あの邪悪な王が殺されたとき、犬が彼の血をなめたんじゃなかったかな？

And a very vile one. When that wicked king was slain, the dogs, did they not lick his blood?

この一言も列王紀上21～22章の記述を知っていると、納得がいきますよね。

さて、このセリフを言ったイシュメール（Ishmael）は、捕鯨船の乗組員としてはかなり浮いています。彼の名前の由来となった聖書の記述を見てみましょう。

聖書に出てくるIshmael（和訳の表記はイシマエル）は、アブラム（後にアブラハムと改名）と彼の妻サライ（後にサラと改名）の女奴隷ハガルの間に生まれた庶子です。

サライは子どもが産めなかったので、アブラムに「私の召使いのところに入ってください。彼女により私は子を持つことになるでしょう」と言います。アブラムがサライの言葉に従い、ハガルが妊娠すると、天使が現れてハガルにこう言います。

> 見よ、あなたは妊娠し、男の子を産みます。その子をイシマエル（ヘブライ語で「神が聞く」という意味）と名付けなさい。主があなたの苦しみを聞かれたからです。彼は荒々しい男になり、その手はすべての人に逆らい、すべての人の手は彼に逆らい、彼はすべての兄弟と対立して暮らすでしょう。
>
> Behold, thou art with child, and shalt bear a son, and shalt call his name Ishmael; because the LORD hath heard thy affliction. And he will be a wild man; his hand will be against every man, and every man's hand against him; and he shall dwell in the presence of all his brethren.

この13年後、アブラムの正妻に男の子Isaac（聖書和訳ではイサク、普通の表記だとアイザック）が生まれ、ハガルとイシマエルはアブラムの家から追い出されてしまいます。

聖書のこのくだりを知っていると、船乗りたちの世界で浮いた存在である人物が「イシュメール」という名前であることに納得がいきますよね。

ちなみに、聖書では神がアブラハムにこう言っています。

イサクに生まれる者はあなたの子孫となるが、端女《はしため》の子もあなたの子なので、これも1つの国民とする。

ですから、聖書を信じている人たちはこの記述から、「イサクの子孫はイスラエルの民、イシマエルの子孫はアラブ人、でも、アラブ人もイスラエル人も先祖はアブラハムである」、と信じています。

次に、白がキリスト教徒にとってどういうイメージなのかを見てみましょう。ヨハネの黙示録19章から、イエス再臨のシーンを見てみましょう。

また私が見ていると、天が開かれ、見よ、白い馬が現れた。その馬の騎手は忠実で真実なる者と呼ばれ、義によって裁き、戦う方だった。

And I saw heaven opened, and behold a white horse; and he that sat upon him was called Faithful and True, and in righteousness he doth judge and make war.

イエスが白馬に乗って再臨するので、キリスト教徒にとって白は善の象徴なのです。

『白鯨』は、英語圏でも日本でも「エイハブ船長が善で白鯨のモービー・ディックが悪」という解釈をしている人が多いようですよね。

でも、聖書のAhabは史上最低の邪悪な人間。『白鯨』のAhabも聖書で禁じられているリヴェンジに終始している憎悪に満ちた愛のない人間で、白はキリスト教では善の象徴なので、白鯨が善でエイハブが悪、という解釈のほうが聖書っぽいんですよね。

さて、次からシェイクスピアの作品をいくつか見ていくことにします。シェイクスピア作品にはさりげなく聖書の言葉が使われていて、知れば知るほど味わいが増します。

まずは、誰もが知っている『ロミオとジュリエット』から見てみましょう。

悲劇『ロミオとジュリエット』にも出てくるラッパ　*Romeo and Juliet*

あらすじ――ヴェローナの街で長年敵対している名家、キャピュレット家とモンタギュー家。しかしある晩の舞踏会で、キャピュレット家の一人娘ジュリエットとモンタギュー家のロミオは恋に落ちてしまう。修道士ロレンスの下で密かに結婚式を挙げた2人だったが、その直後にロミオは街頭でキャピュレット家のティボルトとの争いに巻き込まれてしまい……。

第2幕第6場、ロミオとジュリエットの密かな結婚式で修道士ロレンスが言ったセリフを見てみましょう。

甘すぎる蜂蜜は美味ゆえに厭《いと》わしく、味わうと食欲が失せてしまうもの。だからほどよく愛しなさい。

The sweetest honey is loathsome in his own deliciousness, And in the taste confounds the appetite. Therefore love moderately.

これは箴言25章16節が元になっています。

蜂蜜を見つけたら足りるだけ食べよ。さもないと食べ過ぎて吐き出すだろうから。

Hast thou found honey? eat so much is as sufficient for thee, lest thou be filled therewith, and vomit it.

おいしいものをおいしいからと言って食べ過ぎると吐いてしまう、というごもっともなこの格言、シェイクスピアにも出てくるなんて、たいしたものですよね！

第3幕第2場では、街頭の争いでロミオもティボルトも死んだと早合点したジュリエットがこう言っています。

それならば、恐ろしいラッパよ、最後の審判を告げるがいいわ！

Then, dreadful trumpet, sound the general doom!

１７４ページでも書いたように、ラッパ（trumpet）と聞くとヨハネの黙示録の最後の審判を思い浮かべるという英語圏の人の常識を知っていると、このセリフもピンとくるでしょう。

塵《ちり》と梁《はり》を見つけるとは？—『恋の骨折り損』 *Love's Labour's Lost*

あらすじ——ナヴァール国王ファーディナンドは、臣下のビローン、ロンガヴィル、デュメーンとともに、３年間勉学に励むため、１週間に１度断食し、女性には近づかないという誓いを立てる。しかし折悪しく、フランス王女が侍女を引き連れて外交問題の交渉のためにやって来た。城外のテントで会談する一行だったが、国王たちはたちまち恋に落ちてしまう！

第４幕第３場で、臣下のビローンがロンガヴィルこう言っています。

君は彼の塵を見つけ、王は君の塵を見つけたが、俺は３人それぞれの梁を見つけた。
You found his mote, the King your mote did see: But I a beam do find in each of three.

塵（mote）と梁（beam）を見つけたと言われてもピンとこないでしょうが、これも聖書を知っていると、ハッキリと意味がつかめます。

マタイによる福音書７章に出てくる記述を見てみましょう。

なぜに兄弟の目の中の塵が見えるのに自分の目の中に梁があると認めないのですか？
And why beholdest thou the mote that is in thy brother's eye but considerest not the beam that is in thine own eye?
自分の目の中に梁があるのに、兄弟に向かってあなたの目の中の塵を取らせよ、などと言えるでしょうか？　偽善者よ、まず自分の目から梁を取り除きなさい。そうすれば明瞭に見えるようになり兄弟の目から塵を取り除けるでしょう。

塵は小さな欠点、梁は大きな欠点のたとえです。ですから、ご紹介したセリフは「君は彼の小さな弱味を見つけ、王は君の小さな弱味を見つけたが、俺は３人のそれぞれの大きな弱味を見つけた」という意味なのです。
イエスのこの説教は、Cast the beam out of your own eye before you try to cast the mote from the eyes of your neighbour.「隣人の目の塵を取り除こうとする前に、まず自分の目の梁を取り除け」ということわざにもなっているので、覚えておいて損はないでしょう。

『ハムレット』に出てくる雀とナツメヤシの意味　*Hamlet*

あらすじ――デンマーク王が急死し、その弟クローディアスが王位を継ぎ、王妃と結婚する。その頃、王子ハムレットは城壁に現れる亡霊に会い、父王はクローディアスによって毒殺されたことを知る。復讐を誓ったハムレットだったが、誤って忠臣のポローニアスを刺殺してしまい、それが原因でポローニアスの娘オフィーリアが悲しみのあまり溺死してしまう。ポローニアスの息子レアティーズは、父と妹の仇を取ろうとして、王と王妃が見る中、ハムレットと剣の試合に臨むことになる。

『ハムレット』からは、まず第3幕第3場で、兄弟殺しという罪にさいなまれるクローディアスが言っているセリフから見てみましょう。

あぁ、我が罪は腐りきっていて、悪臭は天にも届こう。
最古の呪いがかけられている、
兄弟殺しをした私はどうして祈ることができよう。
It hath the primal eldest curse upon't,
A brother's murder. Pray can I not.

「最古の呪い」とは、28ページでご紹介したカインの印のことです。
第5幕第2場で、レアティーズとの剣の試合の前に、胸騒ぎがするハムレットが試合を続行する決意を述べ、「前兆など気にしない」と言った後、こう続けています。

1羽の雀が落ちるのも特別な神の摂理だ。
There's a special providence in the fall of a sparrow.

単に字面を追っていると、どうしてここで雀が出てくるのかわかりづらいところですが、これは、マタイによる福音書10章29節に出てくるイエスの言葉が元になっています。

2羽の雀が1ファージングで売られているが、その1羽さえあなたがたの父の意図なしでは地に落ちることはない。

Are not two sparrows sold for a farthing? and one of them shall not fall on the ground without your Father.

1ファージングは1セントほどのコインです。つまり、この一言は、「ただ同然での雀でさえ、神の意図に従って動いていて、神が『死ぬ時期だ』と決めるまでは空から落ちることはない」という意味です。そして、この後に続く言葉は「雀さえも神が守ってくれているのだから、神は信者をしっかり守ってくれるから恐れることはない」という意味です。

聖書を知っていると、ハムレットのこの一言から「すべては神の思し召し次第」という彼の真意が読み取れますよね。

第5幕第2場では、ハムレットがこう言っています。

両者間の友愛がナツメヤシの如く繁栄しますよう。

As love between them like the palm might flourish,

デンマークとイングランドという北の国々の話をしているのに、南国の象徴であるナツメヤシが出てくるなんて、なんかヘンですよね。実はこれは詩篇第92篇に出てくるこの一節が元になっています。

正しき者はナツメヤシの木の如く栄え、レバノンの杉のように育つのです。

The righteous shall flourish like the palm tree: he shall grow like a Cedar in Lebanon.

出典を知っていると、イングランド人のシェイクスピアが書いたデンマークのプリンスのセリフにいきなりナツメヤシが出てきてしまうことにも、ちゃんと納得がいきますよね。

悲劇の『リア王』 *King Lear*

あらすじ――年老いたブリテン王リアは、退位するにあたって国を３分割し、３人の娘に分け与えることにした。長女ゴネリルと次女リーガンは言葉巧みに父への愛情を宣言するが、末娘コーディリアはうまく気持ちを伝えられない。怒ったリア王がコーディリアを勘当すると、求婚者であったバーガンディ公とフランス国王の態度が二分される。リアは２人の娘たちの孝行を期待するが、ゴネリルもリーガンも彼を冷たくあしらうだけだった。

第1幕第1場で、バーガンディ公が相続権を失ったコーディリアとの結婚を拒み、コーディリアが「財産目当ての人の妻にはなりたくない」と言った後、フランス王がこう言っています。

美しきコーディリア、あなたは貧しくなってさらに富まれた。
Fairest Cordelia, that art most rich being poor.

貧しくなってさらに富む、とはどういう意味でしょうか？　コリントの信徒への手紙2、8章にこう書いてあるのです。

あなたがたは我らが主、イエス・キリストの恵みを知っている。主は富んでいたが、あなたがたのために貧しくなった。あなたがたが彼の貧しさのおかげで富む者になるためだ。
For ye know the grace of our Lord Jesus Christ, that, though he was rich, yet for your sakes he became poor, that ye through his poverty might be rich.

イエスが人類の罪を負って何の所持品もないまま十字架にかけられたことで、信者たちは心の富む者になれた、という意味です。

この記述を知っていると、フランス王のこのセリフが、物質的に貧しくても心は富んでいるという意味であることがハッキリとわかりますよね。

次に、第1幕第４場で長女ゴネリルに裏切られたリア王が怒りをぶちまけるセリフを見てみましょう。

この愚かな目よ、こんなことで再び泣こうものならおまえをえぐり出して、おまえが流す涙とともに投げ捨ててやる。土でも濡らすがいい。

Old fond eyes, Beweep this cause again, I'll pluck ye out And cast you, with the waters that you loose,To temper clay.

キリスト教徒は、「目をえぐり出して投げ捨てる」と聞くと、ほぼ反射的にマタイによる福音書5章の姦淫に関する記述を思い浮かべます。情欲を抱いて女を見る者は心の中ですでに姦淫を犯した、というくだりです。

あなたの右目が罪を犯させるなら、それをえぐり出して投げ捨てなさい。全身が地獄に投げ込まれるより身体の一部を失うほうがましです。

And if thy right eye offend thee, pluck it out, and cast it from thee; for it is profitable for thee that one of thy members should perish, and not that thy whole body should be cast into hell.

この記述とリア王のセリフは直接関係があるわけではありませんが、「目をえぐり出して投げ捨てる」という劇的な記述がシェイクスピアのオリジナルではなく、聖書にすでに出てきていたと思うと、聖書のありがたみが増しますよね。

第２幕第４場では、次女リーガンのもとに行ったリア王がゴネリルのひどい仕打ちに関して、こう語っています。

彼女（ゴネリル）は私の随行団を半分に減らし腹黒い目で私をにらみつけ、
蛇のような舌で私の心を突き刺した。
struck me with her tongue, Most serpentlike, upon the very heart.

これだけでも「毒舌で心を傷つけた」ということだろう、と察しがつきますが、この一言をしっかり理解するために詩篇第１４０篇を見てみましょう。

主よ、邪悪な者から私を救い出し、残忍な者から私を守ってください。
彼らは心の中で悪事を謀り絶えず戦いを起こします。
彼らは蛇のように舌を鋭くして、唇の舌には毒蛇の毒があります。
They have sharpened their tongues like a serpent; adders' poison is under their lips.

詩篇のこの節を知っていると、蛇の舌が邪悪な者の武器であることがよくわかり、リア王がゴネリルをいかに憎んでいるか、その憎悪の程もよく伝わってくるでしょう。

愛の罠『オセロー』 *Othello*

あらすじ――ムーア人でヴェニスの軍人であるオセローは、愛するデスデモーナと駆け落ち同然で結婚する。オセローのことを快く思っていない旗手のイアーゴは、あるとき、自分の妻エミリアとオセローが通じているのではないかと疑う。嫉妬も加わり、イアーゴはオセローを陥れる計画を立てる。デスデモーナが浮気していると吹き込んだのだ。

第2幕第1場で、オセローが自分の妻と寝たと思いこんでいる旗手のイアーゴはこう言います。

妻には妻を、とあいつに仕返しするまでは俺の胸の内は満足し得ない。

And nothing can or shall content my soul Till I am evened with him, wife for wife.

wife for wifeは、94ページでもご紹介した「目には目を」が元ネタです。life for life「命には命を」とwife for wifeは韻も踏んでいますよね。

第4幕第2場では、イアーゴの妻エミリアが、オセローにこう言っています。

どこかの悪者が旦那様の頭の中にそういうこと（デスデモーナが浮気をしていること）を吹き込んだのなら、天がその者に蛇の呪いをかけますように。

If any wretch have put this in your head Let heaven requite it with the serpent's curse

「蛇の呪い」（the serpent's curse）も、字面だけ追っているとピンと来ないかもしれませんが、創世記で蛇がイヴをそそのかしたくだり（21ページ）を知っていると納得がいくでしょう。

同じく第4幕第2場でオセローがデスデモーナを罵倒し、こう言っています。

おい、女主人、聖ペテロとは正反対の場所にいる地獄の門番！

You, mistress, That have the office opposite to Saint Peter, And keeps the gate of hell!

これは、聖ペテロが天国の鍵を与えられたくだり（68ページ）を知っていると、意味がさらにハッキリとわかるでしょう。

ラストシーン（第５幕第２場）にも聖書にインスピレーションを得た表現がいくつも出てきます。まず、命乞いをするデスデモーナにオセローがこう言っています。

静まれ、黙れ！
Peace, and be still!

マルコによる福音書４章に、イエスと弟子たちが乗っている舟に激しい突風が吹き付けてくるというシーンがあります。そのとき、イエスが風を叱り、海に向かって「静まれ、黙れ！」（Peace, and be still!）と言うと、風がやんで大凪《おおなぎ》になった、と記されています。

この記述を知っていると、オセローが圧倒的な権力と決意をもってデスデモーナを威圧している、という状況がよく伝わってきますよね。

オセローに首を絞められたデスデモーナは、息絶える直前、エミリアに「誰がこんなことをしたのですか?」と聞かれ、「誰でもない、この私よ」（Nobody. I myself.）と答えます。その後、オセローがこう言っています。

あの女は嘘つきで燃える地獄に行った。
She's like a liar gone to burning hell.

「嘘つきは地獄に堕ちる」というのも、そもそもはヨハネの黙示録が元ネタです。21章に、審判の日が訪れたら勝利を得る者は神の子となるというお告げの後に、こう記されています。

しかし臆病者、不信心な者、忌むべき者、人殺し、姦淫を犯す者、まじないをする者、偶像崇拝者、すべての嘘つきは火と硫黄の燃えさかる池に入れられ、第2の死を遂げる。

But the fearful, and unbelieving, and the abominable, and murderers, and whoremongers, and sorcerers, and idolaters, and all liars, shall have their part in the lake which burneth with fire and brimstone: which is the second death.

キリスト教徒にとって、嘘つきを含む悪人たちには審判の日がいかに恐ろしいものかを知っていると、オセローのこの一言のインパクトが増しますよね！

第5章

ロックスターも大好きなフレーズの数々

～レディ・ガガもボブ・ディランも歌ってる！

Ｕ２の歌詞には聖書にインスパイアーされたものが多いことは洋楽ファンの間では有名な話ですが、レディ・ガガやＡＣ／ＤＣも聖書の引用を使っているって知っていましたか？

ポップスファンもラップファンもハードロックファンも、やっぱり聖書は読んでおいたほうがいい、ということです。

アメイジング・グレイス　*Amazing Grace*

お葬式やアメフトの試合の前などでよく歌われるこの歌は、18世紀のイギリス人の聖職者が書いた賛美歌で、graceは「神の恵み」のことです。

特に、「かつては迷子になっていた私ですが今は見つけてもらい、盲目でしたが今は見えるようになりました」（I once was lost, but now am found, Was blind, but now I see.）という歌詞は、聖書を知っていると味わい深いです。

前半は、１５８ページでご紹介した放蕩息子のたとえ話に出てくる「この私の息子は死んでいたのに生き返り、いなくなっていたのに見つかったからだ」（For this my son was dead, and is alive again; he was lost, and is found.）が元になっています。後半はヨハネによる福音書9章に出てくる、イエスが盲人の目を治した逸話から取られています。「私は目が見えなかったが今は見える」（Once I was blind and now I can see.）という部分の引用です。

ブラディ・メアリー　*Bloody Mary*

レディ・ガガのこの曲は、イエス・キリストの弟子の1人、マグダラのマリア（Mary Magdalene）のことを歌った曲です。まず、この歌詞を見てみましょう。

パンクティアス（Punk-tius）が王座にいる王を殺しに来るとき
私は石打ちの刑に遭う覚悟ができてるわ

Punk-tiusは、イエスの処刑に関わった総督ピラト（Pontius Pilate）とパンク（punk）をかけた造語です。

マグダラのマリアはイエスのはりつけに立ち会いました。イエスが息を引き取った後の記述を見てみましょう。マルコによる福音書15章40節にこう書いてあります。

遠くの方から見ている女たちもいて、その中にはマグダラのマリア、小ヤコブとヨセの母、マリア、またサロメがいた。
There were also women looking on afar off: among whom was Mary Magdalene, and Mary

the mother of James the less and of Joses, and Salome.

この時代に石打ちの刑がよく行われていたことや、マリアがイエスの最期を看取ったことなどを知っていると、歌詞をより深く理解できますよね。

ジューダス　*Judas*

レディ・ガガの「ジューダス」からは、まずこの歌詞を見てみましょう。

必要なら彼の足を私の髪で洗いましょう

これは、ルカによる福音書7章で、罪深い女がイエスの足を洗った、という記述が元になっています。

（罪深い女は）泣きながら背後から彼（イエス）の足下に立ち、彼の足を自分の涙で洗い、髪の毛で拭き、足に接吻し、香油を塗った。

And stood at his feet behind him weeping, and began to wash his feet with tears, and did wipe them with the hairs of her head, and kissed his feet, and anointed them with the ointment.

この曲のビデオのラストでは、レディ・ガガが石で打たれています。これは、「罪のない者が最初の石を投げろ」という、ヨハネによる福音書８章に出てくるイエスの一言が元になっています。レディ・ガガの歌は「キリスト教への冒瀆《ぼうとく》だ！」と彼女を非難する人々へのメッセージが込められていることに気づくでしょう。

レット・ゼア・ビー・ロック　*Let There Be Rock*

ＡＣ／ＤＣのこの曲は創世記を知っていると１００倍楽しめます！　まず、歌詞の最初の部分を見てみましょう。

はじめ
１９５５年には

人はロックンロール・ショーについて知らなかった

この数行後の歌詞は、But Tschaikovsky had the news, he said「でもチャイコフスキーが知らせてくれた、彼はこう言ったんだ」で、この後にこう続いています。

サウンドよあれ、と言うとサウンドがあった
ライトよあれ、と言うとライトがあった
ドラムスよあれ、と言うとドラムスがあった
ギターよあれ、と言うとギターがあった
ロックよあれ
そしてかくあり And it came to pass
ロックンロールが生まれた

創世記1章1節には次のようにあります。

はじめに神は天と地を創造した。
In the beginning God created the heaven and the earth.

創世記1章3節ではこう書かれています。

神は光あれ、と言った。そして光があった。

And God said, Let there be light: and there was light.

「そしてそれが実現した、そしてそうなった」(And it came to pass)は、聖書に何百回も出てくる表現です。

ですから、創世記を知っていると、この曲がまさにロックの創世記を歌ったものであり、英語圏のロック・ファンから「ロックの聖書」として崇拝されていることがよくわかりますよね。

船が入ってくるとき　*When the Ship Comes In*

あるときボブ・ディランはホテルに泊まることを拒否されますが、それを言い渡したフロント係に対する怒りを詩にしたのがこの曲です。曲の最後を見てみましょう。

それで彼らはお手上げ状態になり

どんな要求にも応じると言うだろう
でも俺たちは船首からおまえはもう終わりだと叫ぶ
ファラオの民と同じように
彼らは流れにのまれて溺れ
ゴリアテのように征服されるのさ

この部分、モーゼが紅海を分けた話やダビデとゴリアテのエピソードを知っていれば意味がハッキリわかりますが、これも知らないとわかりづらいでしょう。

時代は変わる　*The Times They Are a-Changin'*

時は移りゆく、という主旨のディランのこの曲には、「今、先頭の者は、後には最後になる」（And the first one now will later be last）という歌詞が出てきます。

これはマタイによる福音書20章で、イエスが弟子たちに聞かせた天国に関するたとえ話の最後の一言が元になっています。

イエスは天国をぶどう園に例え、早朝から長時間働いた者と、夕方から来て1時間しか働かなかった者に同じ賃金を払ったぶどう園の主人の話をします。そして、こう言っています。

このように後の者は先になり、先の者は後になるのです。

So the last shall be first, and the first last.

これは、神を見つけるのが遅かった人のほうが神のありがたみを深く感じているので、神から受ける恩恵も多いという意味に解釈している人が多いようです。

聖書の一言を知っていると、移りゆく時がテーマのこの曲をより深く理解することができるでしょう。

ザ・ゴースト・オブ・トム・ジョード　*The Ghost of Tom Joad*

ブルース・スプリングスティーンのこの曲は、『怒りの葡萄』のトム・ジョードをモチーフにしたものです。セカンド・コーラスの3行目を見てみましょう。

彼は後の者が先になり先の者が後になる時を待ってる

これも、右で取り上げたマタイによる福音書20章でイエスが言った一言が元になっています。「神に選ばれた民だからという理由で必ずしもユダヤ人が先に天国に入れるわけではなく、非ユダヤ人でもイエスの言葉に従った人は先に天国に入れる」、という意味です。

聖書を知っていると、スプリングスティーンの歌詞もしっかり理解できますよね。

コートはカラフル　*Coat of Many Colors*

ドリー・パートンのこの曲は、貧しかった子どもの頃、お母さんが端布を縫い合わせて色とりどりのコートを作ってくれ（coat of many colors）、聖書のジョセフ（Joseph、日本語表記ではヨセフ）の話をしてくれた、という曲です。

イスラエルの12部族の父であるイスラエル（Israel　元々はジェイコブJacobという名前でしたが、後に神によってIsraelと改名されました）には４人の妻と12人の息子がいましたが、彼はお気に入りの妻レイチェルから生まれた11番目の息子ジョセフ（Joseph）を一番愛していました。

創世記37章の記述を見てみましょう。

ジョセフは17歳の時に、兄弟たちと一緒に羊の群れの世話をしていた。彼はまだ子どもで、父の妻たちビルハとズィルパの息子たちと共にいたが、ジョセフは彼らが悪いことをすると父に告げ口した。
イスラエルはジョセフを他の子どもたちより愛していた。なぜならジョセフはイスラエルが年をとってから生まれた子どもだったからである。そしてイスラエルはジョセフにカラフルな服を作ってやった。兄弟たちは父親が彼を誰よりも寵愛するのを見て、彼を憎み、穏やかに彼と話をすることができなかった。

Now Israel loved Joseph more than all his children, because he was the son of his old age: and he made him a coat of many colours. And when his brethren saw that their father loved him more than all his brethren, they hated him, and could not speak peaceably unto him.

ちなみに、この後、a coat of many coloursを父からプレゼントされたジョセフに嫉妬して、兄弟たちはジョセフを殺そうと企みますが、長男ルーベンの説得により殺すことはやめて、その代わりエジプトに奴隷として売ることにします。

で、エジプトに連れて行かれたジョセフは夢（当時は預言だと信じられていました）の意味を解読する才能を持っていたので、ファラオの夢を正しく解釈したご褒美として高い地位を与えられます。

さて、ご紹介した引用はキング・ジェームズ版の英訳なんですけど、a coat of many coloursのオリジナルのヘブライ語は kethoneth passimで、passimは「色とりどり」ではなくて「手と足に届く（つまり袖や丈が長い）」という訳のほうが適切だという説もあるため、a long tunic with sleevesとか、a long coatと訳してある聖書もあります。（なお、kethonethは「ガウン」の意味です。）

この時代の平民は袖も裾も短いアースカラーの服を着ていました。袖や丈の長い服は肉体労働や野良仕事などに向かないですし、色とりどりの服（つまり染め物）は洗うのが大変なので汚れを気にする必要のない人にしか向かないので、どちらにせよジョセフの服は地位の高い人にふさわしい服で、父親に特別待遇をされている証拠なんですよね。

この記述を知っていると、ドリー・パートンの曲のcoat of many colorsが母親の愛のシンボルとして貧しい女の子の心を支え、彼女に希望を与えてくれた、という行間を読み取ることができますよね。

アイ・ウィッシュ・ユー・ウェル　*I Wish You Well*

マライア・キャリーのこの曲では、それぞれのヴァースの最後で聖書の章と節が出てきます。

まず、始まりの部分を見てみましょう。

これはあなた、あなた、そしてあなたのための曲
あなたは自分がどんな人間かわかってる

栄光の日々が嵐の夜に変わると
恐怖で身動きできなくなってしまったでしょう
ひどく冷たいと感じたんじゃないかしら
世界に1人で立ち向かっても勝てはしない
心の中の悪魔に取り憑かれてしまうだけ

そして最後の2行にはこう書かれています。

箴言19章29節をチェックするといいわ
泣いちゃダメ

箴言19章29節を見てみましょう。

裁きはあざける者のために備えられ、鞭《むち》は愚か者の背に用意されている。
Judgments are prepared for scorners, and stripes for the back of fools.

聖書を知っていると、この歌詞の真意が「人をあざけってはいけない」ということだとわかりますよね。

次にセカンド・ヴァースの最後の2行を。

でもあなたは前みたいに私を操ることはできないわ
まずヨハネの第1の手紙4章4節をちゃんと読んで

聖書の記述を見てみましょう。

子どもたちよ、あなたたちは神の子で、彼ら（悪者）に打ち勝った。あなたがたの内にいるもの（神）はこの世のもの（悪魔）より大いなるものであるから。
Ye are of God, little children, and have overcome them: because greater is he that is in you, than he that is in the world.

これを知っていると、この歌詞が「もう私は悪魔（のような存在）に操られることはない」という意味だとわかるでしょう。
サード・ヴァースを見てみましょう。

確かにあなたは今まで何度も私を支え
まだ私を愛してるのかもしれないわね
でも罪のない者が最初の石を投げるとしたら
誰がその場に残れるかしら
あなたは残れない　フィリピの信徒への手紙４章９節を読めば明らかよ
(教えを実行すれば平和の神が共にいてくれる)

３〜４行目は２２８ページでご紹介したキリストのセリフを知らないと真の意味がつかめないでしょう。フィリピの信徒への手紙４章９節にはこう記されています。

あなたが私から学び、受け、聞き、見たことを実行すれば、平和の神があなたと共にいてくれるでしょう。
Those things, which ye have both learned, and received, and heard, and seen in me, do: and

the God of peace shall be with you.

最後のフォース・ヴァースの一部を見てみましょう。

あなたを呪う者に善を施しなさい
あなたを虐待する者のために祈りなさい
詩篇１２９章2節
彼らは私が若い時からひどく私を圧迫した
しかし私に勝つことはできなかった
(イエスの名において)
Psalms 129:2
They have greatly oppressed me from my youth
But they have not gained victory over me

ここではしっかり詩篇１２９章２節が引用されています（マライアが引用しているのはニュー・インターナショナル・ヴァージョンの英訳です）。
この曲の最後でマライアはこう歌っています。

主のことをしっかり思い続ける者を
主は完全な平安のうちに保ってくださる

この2行をイザヤ書26章3節と比べてみましょう。

あなたのことを思い続ける者をあなたは完全な平安のうちに守ってくださる。その人があなたを信頼しているからです。
Thou wilt keep him in perfect peace, whose mind is stayed on thee: because he trusteth in thee.

聖書を知っていると、この曲の最後の2行もさらに味わい深いですよね。

ブレッサド　*Blessed*

サイモンとガーファンクルの「ブレッサド」も、聖書を知っていると味わい深さが増します。
ファースト・ヴァースの最初の4行を見てみましょう。

柔和な人は受け継ぐから幸いだ
血を流す小羊は幸いだ
抑圧されつばを吐かれ打たれる者は幸いだ
あぁ主よ、なぜ僕をお見捨てになったのか？

この歌詞は山上の説教の一言をほんのちょっと変えた（最後の部分を省略した）1行で始まっています。

この曲の歌詞のすべてのヴァースは前半の3行がBlessed are …, Blessed is … で始まっていて、イエスの山上の説教（１１７ページ）をモチーフにしたものです。そしてそれに続く一言は、マタイによる福音書27章で、十字架にかけられたイエスが言った一言が元になっています。46節を見てみましょう。

我が神、我が神、なぜ私をお見捨てになったのですか？
My God, my God, why hast thou forsaken me?

ですから、英語圏の人はこの曲を聴くとイヤでもイエスのことを思い浮かべてしまうんです。

明日に架ける橋　*Bridge Over Troubled Water*

日本でも有名なこの曲の原題はBridge Over Troubled Water（荒れる水面／荒波／荒れる海に架けられた橋）です。

ファースト・ヴァースを見てみましょう。

君が疲れ、肩身が狭い思いをして
目に涙が浮かんだ時
僕が涙を全部乾かしてあげよう
僕は君の味方
困難な状況になり
友だちが見つからないとき
荒れる水面に架ける橋のように
僕がこの身を投げ出そう
荒れる水面に橋を架けるように
僕がこの身を投げ出してあげよう

「僕がこの身を投げ出そう」はlay me downという英語なのですが、英語圏の人々の多くはこの表現を聞くと、ヨハネの福音書15章に出てくるイエスの言葉を思い出します。死期が近づいたことを察しているイエスが弟子たちにこう言っています。

> これが私の戒律です。私があなたたちのことを愛してきたように、あなたたちもお互いに愛し合いなさい。なによりも大きな愛は、人がその友のために命を捨てることです。私が命じることをすれば、あなたたちは私の友になる。
>
> This is my commandment, That ye love one another, as I have loved you. Greater love hath no man than this, that a man lay down his life for his friends. Ye are my friends, if ye do whatsoever I command you.

最後の文は、「私の戒律に従えば、あなたたちは私のしもべではなく私と同格の友になれる」という意味です。

英語圏の人々の多くは、lay me downからlay down his life for his friendsを思い出し、他人のために自分の命を犠牲にした（人類の罪を背負って十字架にはりつけになり処刑された）イエスを連想します。ポール・サイモン自身も、「ゴスペルからインスピレイションを得た」と語っているので、やはりイエスの言葉はインスピレイションの源なのです。ポール・サイモンもアート・ガーファンクルもユダヤ教の家庭で育ったユダヤ系アメリカ人ですが、それでもイエスの存在は無視できなかったということなので、イエス様、さすがですよね！

地の塩　*Salt of the Earth*

この曲は、ローリング・ストーンズのアルバム、『ベガーズ・バンケット』の最後に収められた曲です。ファースト・ヴァースを見てみましょう。

まじめに働いている人たちに乾杯
身分の低い連中に乾杯
善良な者たち、邪悪な者たちにグラスを掲げろ
地の塩に乾杯

タイトルは山上の説教から取ったものです。117ページでご紹介したBlessed are … の後に

続く部分を見てみましょう。

正義のために迫害される人々は幸いです。天の国は彼らのものだからです。

私のために人々から罵られ、迫害され、真実ではないあらゆる悪口を言われる人は幸いです。

うれしがり、大いに喜びなさい。あなた方は天で大きな報いを受けるのですから。あなた方に先だった預言者たちのことも人々はそのように迫害したのです。

あなた方は地の塩です。もし塩が塩気を失ったら、何によって塩味をつけられるでしょうか？　もう何の役にも立たず外に捨てられ、人々に踏みつけられるだけです。

Ye are the salt of the earth: but if the salt have lost his savour, wherewith shall it be salted? it is thenceforth good for nothing, but to be cast out, and to be trodden under foot of men.

イエスの教えに従う人々は地の塩のように大切だ、という意味です。ここからthe salt of the earthは「貴重な価値のあるもの、重要な資質を持った善良な人」という意味で使われるようになりました。

ミック・ジャガーは、インタビューで「この歌詞は皮肉たっぷりなんだ。彼らは何の力も持ってないし、持てる見込みもない」と語っていますが、出典を知っていると皮肉の強烈さが増しますよね！

さて、キリスト教徒として育ったボノがほとんどの詩を書いているU２の曲には聖書にまつわる作品がいっぱいありますが、本書ではそれらの中から特に印象深いものを選りすぐってご紹介しましょう（『　』の中は曲が収録されているアルバム名です）。

グロリア（『オクトーバー』）　*Gloria/October*

ファースト・ヴァースの最後の1行、「でも僕は君の中でのみ完全なものとなる」は、コロサイの信徒への手紙２章10節にそっくりです。

あなたがたは、すべての権威と支配の頭である彼（イエス・キリスト）の中で完全なものとなるのです。

And ye are complete in him, which is the head of all principality and power:

人はイエスを信じてイエスの教えに身を任せることによって満たされる、という意味のこの一節を知っていると、Gloriaが単なる名前ではなくて神の栄光（glory of God）を称えた歌としても味わえるでしょう。

40（『ウォー』）　*40/War*

これは詩篇第40篇にインスパイアーされた曲です。タイトルからも明らかですよね。ファースト・コーラスの最初の２行、セカンド・コーラスの最初の２行は、それぞれ詩篇第40篇の１節、２節のニュー・アメリカン・スタンダード・バイブル訳（NASB）とほぼ同じです。NASBの記述を見てみましょう。

私は辛抱強く主を待っていた
主は私のほうに身を傾け、私の叫びを聞いた。
I waited patiently for the Lord;
And He inclined to me and heard my cry.
彼は私を滅びの穴から、泥沼から引き上げ、
私の足を岩の上に置き私の歩みを確かなものにしてくれた。

He brought me up out of the pit of destruction, out of the miry clay,
And He set my feet upon a rock making my footsteps firm.

バイブルからの「盗作」は神様もキリスト教徒たちも喜んでくれるでしょう！

イン・ゴッズ・カントリー（『ジョシュア・トゥリー』）

In God's Country/The Joshua Tree

レーガン政権時代のアメリカのことを歌ったこの曲には「希望、信仰、その虚栄／最も偉大な贈り物は黄金」という歌詞が出てきます。これは、コリントの信徒への手紙1、13章をひねったものです。

そしていつまでも存続するのは信仰、希望、愛、この3つです。この中で最も偉大なのは愛です。

And now abideth faith, hope, charity, these three; but the greatest of these is charity.

元ネタを知っていると、希望と信仰は一応あるけど、愛よりも金が大切、という物欲主義のアメリカへの痛烈な批判をより鮮明に読み取ることができるでしょう。

また、最後のヴァースに出てくる「僕はケイン（カイン）の息子たちを支持する」という一節も、カインが誰かを知らないとピンとこないでしょうが、みなさんはもうどういう意味かおわかりですよね。

ラヴ・レスキュー・ミー（『ラトル・アンド・ハム』）

Love Rescue Me/Rattle and Hum

この曲には詩篇第23篇をモチーフにした歌詞が出てきます。まず詩篇を見てみましょう。

私はたとえ死の陰の谷を歩こうとも悪を恐れはせぬ。あなたが私と共にいらっしゃるからです。あなたの鞭とあなたの杖は私を慰めてくださる。

Yea, though I walk through the valley of the shadow of death, I will fear no evil: for thou art with me; thy rod and thy staff they comfort me.

次に歌詞の和訳を見てみましょう。

僕はたとえ死の陰の谷を歩こうとも
悪を恐れたりしない
僕はあなたの鞭と杖を呪ったので
もうそれらは僕を慰めてくれない

元ネタを知っていると、歌詞の後半部分のひねりが生きてきて、信じる心を失ってしまったので、愛に助けて欲しい、という気持ちがよく伝わってくるでしょう。

ホエン・ラヴ・カムズ・トゥ・タウン（『ラトル・アンド・ハム』）

When Love Comes to Town/Rattle and Hum

歌詞の前半部分だけ読んでいると単なるラヴ・ソングかと思えるのですが、最後の部分は聖書を知らないと理解できません。ラスト・ヴァースの和訳を見てみましょう。

彼らが主を十字架にかけたとき僕はそこにいた
兵士が剣を抜いたとき僕はその鞘《さや》を支えた
彼らが主の脇腹を刺したとき僕はさいころを投げた

ニュー・リヴィング・トランスレーション版の、マタイによる福音書27章を見てみましょう。

イエスを十字架に釘で打ち付けた後、兵士たちはイエスの着物を賭けてさいころを投げた。
After they had nailed him to the cross, the soldiers gambled for his clothes by throwing dice.

「さいころを投げた」という一言は聖書を知らないと、唐突で意味不明でしょうが、元ネタを知っていれば納得がいきますよね。

ザ・ワンダラー（『ズーロッパ』）　*The Wanderer/Zooropa*

ボノが、この曲のタイトルは「ザ・プリーチャー」（伝道師）でもよかったと言っているとおり、この歌は伝道師をテーマにしたものです。

最後のほうに「イエスよ、もう待つことはない、僕はもうすぐ家に帰るから」という一言があるので、ボノの説明がなくても伝道師の話だとわかるでしょうが、聖書を知っているとさらに鮮明にわかる部分が2ヵ所あります。まず、1行目を見てみましょう。

僕は黄金で舗装された道を歩いて出て行った

ヨハネの黙示録21章には、天から下ってきた聖なる都エルサレムに関する記述が出てきます。

12の門は12の真珠で、どの門も1つの真珠でできていた…都の大通りは透き通ったガラスのような純金だった。

And the twelve gates were twelve pearls; every several gate was of one pearl: and the street of the city was pure gold, as it were transparent glass.

次にラスト・ヴァースの最初の3行を。

僕は1人の善良な人間を探しに出かけた
曲がったり挫折したりしない精神を持ち

父の右側に座れるような人を

マタイによる福音書26章で、イエスが大祭司たちにこう言っています。

将来、あなた方は人の子が権威ある方の右側に座り、天の雲に乗って来るのを見るでしょう。

Hereafter shall ye see the Son of man sitting on the right hand of power, and coming in the clouds of heaven.

キリストが神の右側に座して天の雲に乗って再臨し、審判を下す、という意味です。聖書を知っていると、この２ヵ所をより深く味わうことができますよね。

アンノウン・コーラー（『ノー・ライン・オン・ザ・ホライゾン』）

Unknown Caller/No Line on the Horizon

この曲のファースト・ヴァースの３行目に、３・33という数字が出てきます。その前に「僕は真夜中と夜明けの間に自分を見失っていた」という一言があるので、３・33は明け方の３時33分かとも思えますよね。

でも、人気のないシャルル・ド・ゴール空港にバンドがいるというアルバム・カヴァーの左上にJ33-3という文字が見えるので、これがJeremiah 33:3、つまりエレミヤ書33章３節のことだとわかるんですよね。ここでは、主がエレミヤに次のように言っています。

私を呼べ、そうすれば私はあなたに答え、あなたが知らない偉大で大いなることをあなたに告げる。

Call unto me, and I will answer thee, and shew thee great and mighty things, which thou knowest not.

これを知っていると、unknown caller「正体不明の電話の相手」が神であることがよくわかりますよね。

あとがき

宗教色の薄い日本に住んでいるみなさんは、「聖書」と聞くと、「やたら宗教くさくてお説教っぽい言葉が詰まった本」を思い浮かべるかもしれませんね。

でも、聖書に書かれていることはお経とは違って、祈りの言葉ではありません。

また、旧約聖書はユダヤ人の歴史を記したものでもあるので、大河ドラマを見る感覚で読み物としても楽しめます。

新約聖書のイエスの生涯を描いた部分も、３Ｄ映画で見たい！　と思えるようなエキサイティングなお話ですし、ヨハネの黙示録に至ってはホラー映画ファンの必読書と言っても過言ではありません。

真に英語を理解するためには避けて通れない聖書、読み物としても楽しめるので、和訳でもかまいませんからお時間のあるときにぜひ読んでみてくださいね！

西森マリー

聖書《せいしょ》をわかれば英語《えいご》はもっとわかる

2013年4月1日　第1刷発行
2020年9月7日　第4刷発行

著　者　西森《にしもり》マリー

発行者　渡瀬昌彦

発行所　株式会社講談社
〒112-8001　東京都文京区音羽2-12-21
販売　東京 03-5395-3606
業務　東京 03-5395-3615

編　集　株式会社講談社エディトリアル
代表　堺 公江
〒112-0013　東京都文京区音羽1-17-18 護国寺SIAビル
編集部　東京 03-5319-2171

装　幀　マルプデザイン

本文DTP　朝日メディアインターナショナル株式会社

印刷所　株式会社新藤慶昌堂

製本所　株式会社国宝社

Printed in Japan
ISBN978-4-06-218027-6